WITCH & WIZARD

LES REBELLES DU NOUVEL ORDRE

James Patterson
et Gabrielle Charbonnet

Les rebelles du nouvel ordre

Tome I

Traduit de l'anglais (États-Unis)
par Aude Lemoine

hachette

À Andrea Spooner, notre sauveuse. ☺
J.P.

Idem !
G.C.

Illustration de couverture : © 2009 by Mikhail / Shutterstock

Traduit de l'anglais (États-Unis) par Aude Lemoine

L'édition originale de cet ouvrage a paru en langue anglaise
chez Little, Brown and Company, a division
of Hachette Book Group, Inc., sous le titre :
WITCH & WIZARD

*Je crois en l'aristocratie... Pas une aristocratie du pouvoir,
basée sur le rang et l'influence, mais une aristocratie
de la sensibilité, de la prévenance et du courage. Ses membres
peuplent, à travers les âges, toutes les nations, sans distinction
de classe, et ils se reconnaissent secrètement entre eux lorsqu'ils
se rencontrent. Ils incarnent les vraies valeurs de l'humanité
et représentent la seule victoire permanente
de notre étrange race sur la cruauté et le chaos.*

E. M. Forster

PROLOGUE

VOUS VOUS CROYEZ OÙ COMME ÇA ? AU KANSAS ?

WISTY

C'est une vision insupportable : une marée de visages crispés par la colère et tournés vers moi. Comme si j'étais une criminelle infâme… Je vous jure que ce n'est pas le cas ! Le stade est bondé. Les spectateurs sont debout, dans les allées, les escaliers, sur les murets en béton tandis que plusieurs milliers de personnes se tiennent sur le terrain de jeu à proprement parler. Mais il n'y a pas d'équipes de football aujourd'hui. Même si elles le voulaient, elles seraient incapables de sortir des vestiaires par le couloir.

Cette scène atroce est retransmise à la télévision et sur Internet. Tous les journalistes des magazines et journaux à sensation sont également présents. J'aperçois des cameramen perchés tout autour du stade.

Ils ont même installé une caméra télécommandée qui court le long des câbles surplombant le terrain. La voilà justement : pile-poil en face de l'estrade, elle se balance légèrement à cause de la brise.

J'en déduis que des millions de paires d'yeux supplémentaires sont en réalité en train d'observer la scène. Seulement, ce sont les regards de ce stade qui me brisent le cœur, et le fait d'être confrontée à des dizaines, voire des centaines de milliers de visages aussi curieux qu'insensibles ou, à tout le moins, indifférents. C'est ma définition… du cauchemar éveillé.

Aucune larme à l'œil. Nulle part. Encore moins roulant sur une joue ou l'autre.

Pas un mot ni une parole de protestation non plus.

Encore moins de pieds frappant le sol ou de poings levés qui témoigneraient d'une éventuelle solidarité.

Pas le moindre signe d'espoir que quelqu'un envisage de s'élancer pour rompre les cordons de sécurité et secourir ma famille.

Il est clair que ce n'est certainement pas un grand jour pour les Allgood.

D'ailleurs, alors que le compte à rebours clignote sur les écrans géants de chaque côté du stade, tout porte à croire qu'il s'agit de notre dernière heure.

Un point pour le grand homme chauve qui se tient au sommet de la tour érigée au centre du terrain ; on dirait un mélange entre un juge de la Cour suprême et l'impitoyable empereur Ming. Je le connais ; je l'ai même rencontré. C'est Le Seul-L'Unique.

Derrière sa Majesté Unique flotte une bannière du Nouvel Ordre.

Tout à coup, la foule se met à scander, à entonner même : « Le Seul-L'Unique ! »

D'un geste impérieux, l'intéressé lève la main et ses laquais encapuchonnés nous font avancer sur l'estrade aussi loin que les cordes autour de nos cous le permettent.

Je regarde mon frère, Whit, beau et courageux, le regard baissé vers le mécanisme de l'échafaud, occupé, vraisemblablement, à trouver un moyen de l'enrayer, d'empêcher qu'il ne libère les lames qui nous trancheront la tête.

Je regarde ma mère. Elle pleure en silence. Pas sur son sort, naturellement, mais sur le nôtre, à Whit et moi.

Je regarde mon père, sa carrure, d'habitude imposante, diminuée par des épaules voûtées de résignation. Il nous adresse un sourire, à mon frère et moi, pour nous encourager et nous rappeler qu'il est inutile de gâcher nos dernières heures sur terre en étant tristes.

Mais je brûle les étapes, ici. J'étais censée faire une introduction et non pas livrer les détails de notre exécution publique.

Remontons un peu en arrière…

PREMIÈRE PARTIE

PUNIS POUR UN CRIME NON COMMIS

PAR ORDRE DU NOUVEL ORDRE,

ET DE SA GRANDEUR **LE SEUL-L'UNIQUE,**
IL EST OFFICIELLEMENT DÉCRÉTÉ
QU'À COMPTER DE **MAINTENANT,**
CETTE HEURE OU **MINUIT CE SOIR**
— SELON CE QUI SURVIENT EN PREMIER —,
SUITE AU TRIOMPHE FULGURANT DE **L'ORDRE DES ÉLUS** QUI PROTÈGENT ET ONT ÉRADIQUÉ
LES **PUISSANCES AVEUGLES ET BASSES**
DE LA PASSIVITÉ ET DE LA COMPLAISANCE
QUI **POLLUENT** CE MONDE,
TOUS LES CITOYENS SONT TENUS,
CONTRAINTS ET FORCÉS DE SE CONFORMER À

CES TROIS ORDONNANCES RÉGISSANT L'ORDRE :

1. Tout comportement NON conforme aux lois, à la logique, à l'ordre et aux sciences du Nouvel Ordre (notamment, mais pas exclusivement, la théologie, la philosophie et surtout les arts créatifs et obscurs) est par la présente BANNI.
2. Toute personne âgée de moins de dix-huit ans sera soumise à l'évaluation de sa bonne conduite et devra se conformer aux actions correctives prescrites.
3. Le Seul-L'Unique accorde, nomme, décide, saisit et exécute selon son bon vouloir. Toute personne en infraction sera arrêtée et/ou condamnée à la peine de mort.

Conformément à la déclaration de
Le Seul-L'Unique à L'Élu qui rédige les décrets.

CHAPITRE 1

WHIT

Il y a des jours, on se réveille et le monde n'est plus du tout le même.

Le bruit d'un hélicoptère qui tournait dans le ciel m'a sorti de mon sommeil et j'ai ouvert les yeux. Une lumière froide, blanche, aux reflets bleutés a transpercé l'écran des stores et inondé le salon comme en plein jour.

Sauf que c'était la nuit.

J'ai lancé un regard embué à l'horloge du lecteur de DVD : 2 h 10.

Un bruit de battement régulier, proche de celui d'un pouls cardiaque résonnant avec force, a soudain retenti. Il se rapprochait avec insistance.

Que se passe-t-il ?

J'ai titubé jusqu'à la fenêtre, faisant violence à mon corps après deux heures seulement d'un sommeil proche du coma sur le canapé, et jeté un bref coup d'œil entre les lattes des stores.

Alors, j'ai reculé et me suis frotté vivement les yeux.

Parce que je n'avais pas pu voir ce que j'avais vu. Ni entendu ce que j'avais entendu. Non, c'était impossible.

S'agissait-il vraiment du pas de centaines de soldats, martelés avec une constance implacable alors qu'ils remontaient ma rue en rangs parfaitement serrés ?

L'artère n'était pas suffisamment proche du centre-ville pour qu'on y défile les jours fériés et encore moins pour que des hommes armés en pleine psychose traumatique s'y aventurent au cœur de la nuit.

J'ai secoué la tête et effectué quelques sauts sur place, un peu comme lors de mes échauffements. *Réveille-toi, Whit.* Je me suis donné une claque, puis j'ai regardé à nouveau par la fenêtre.

Ils étaient bien là. Des centaines de soldats qui marchaient au pas dans notre rue, aussi distincts qu'en plein jour, leurs silhouettes découpées par une demi-douzaine de projecteurs montés sur des camionnettes.

Dans ma tête circulait en boucle un seul et même message : ce n'est pas possible !

Je n'en revenais pas. Quand, tout à coup, je me suis souvenu des élections, du nouveau gouvernement, des paroles ressassées sans cesse par mes parents à propos de la situation désastreuse du pays, des flashes spéciaux à la télé, des pétitions politiques que mes copains de classe propageaient sur Internet, des débats houleux entre les profs à l'école. Rien de tout ceci n'avait fait sens dans mon esprit jusqu'à cet instant précis.

Et avant que j'aie eu le temps de rassembler les pièces du puzzle, l'avant-garde de la formation militaire s'est arrêtée juste en face de la maison.

Trop vite pour que je puisse assimiler ce qui se passait, deux escouades armées se sont détachées de la phalange pour traverser notre pelouse en sprintant à la manière d'un commando. La première a contourné la maison et l'autre s'est positionnée devant.

J'ai bondi loin de la fenêtre, conscient que ces hommes n'étaient pas là pour nous protéger, ma famille et moi. Il fallait que je prévienne ma mère, mon père, Wisty…

Mais juste comme je commençais à crier, la porte d'entrée a été projetée hors de ses gonds.

CHAPITRE 2

WISTY

J'ai du mal à imaginer pire que de se faire kidnapper chez soi, en pleine nuit. Cela s'est déroulé à peu près comme ça.

J'ai été réveillée par le fracas de meubles violemment renversés, suivi aussitôt par un vacarme retentissant – le service en porcelaine de ma mère, vraisemblablement.

Whit ! ai-je tout de suite pensé en secouant la tête afin d'émerger plus efficacement de mon sommeil. Mon grand frère avait pris dix centimètres et quinze kilos de muscles au cours de l'année passée, ce qui lui valait d'être le quarterback le plus grand et le plus rapide de la région et, j'ajouterais, le joueur le plus impressionnant de l'équipe régionale du lycée, jusqu'ici invaincue.

En dehors d'un terrain de sport, cependant, Whit avait l'agilité d'un ours pataud – à supposer que l'ours en question puisse être dopé par six canettes de Red Bull et qu'il ne se sente plus parce qu'il pouvait soulever presque cent cinquante kilos d'haltères et que toutes les filles de l'école le prenaient pour un superhéros.

J'ai roulé sur le côté et me suis plaqué un oreiller sur la tête. Même avant qu'il se mette à boire, Whit ne pouvait traverser la maison sans renverser quelque chose sur son passage. Parfait exemple d'un éléphant dans un magasin de porcelaine.

Cette fois, pourtant, ce n'était pas le problème.

Car, trois mois plus tôt, sa petite amie, Celia, avait disparu sans laisser de trace. À tel point que personne ne croyait plus la revoir un jour. Ses parents étaient dans tous leurs états. Et Whit aussi. Pour être tout à fait honnête, je n'en menais pas large non plus. Celia était – est ! – très jolie, intelligente et pas le moins du monde vaniteuse. Et même si elle a plein d'argent, c'est une fille simple. Le père de Celia est propriétaire du garage de voitures de luxe en ville et sa mère est une ancienne Miss. Elle a gagné plusieurs concours de beauté. Jamais je n'aurais imaginé qu'un truc pareil puisse arriver à quelqu'un comme Celia.

J'ai entendu la porte de la chambre de mes parents s'ouvrir dans un grincement et je suis retournée sur la pointe des pieds me blottir dans la chaleur de mon lit aux draps de flanelle.

Ensuite, la voix de mon père a brusquement retenti. Jamais je ne l'avais senti aussi furieux.

— Qu'est-ce que vous fichez là ? Vous n'avez pas le droit d'être ici ! Sortez immédiatement de chez moi !

Je me suis redressée d'un bond, bien réveillée pour le coup. De nouveaux bruits d'éclats ont retenti et j'ai cru reconnaître un gémissement de douleur. Whit était-il tombé et s'était-il ouvert la tête ? Mon père était-il blessé ?

Ouhoooh ! J'ai sauté hors de mon lit.

— J'arrive, papa ! Ça va ?

Là, le premier cauchemar d'une longue, très longue série s'est produit.

J'ai poussé un halètement alors qu'on enfonçait ma porte au même moment. Deux hommes baraqués en uniforme gris foncé ont fait irruption dans ma chambre et m'ont foudroyée du regard comme si j'avais été le cerveau d'un réseau terroriste en fuite.

— C'est elle ! Wisteria Allgood ! s'est écrié l'un d'eux.

Le faisceau d'une lumière tellement forte qu'elle aurait pu, à elle seule, éclairer un hangar à avions a percé l'obscurité.

J'ai essayé de me protéger les yeux. Mon cœur battait la chamade.

— Qui êtes-vous ? Et qu'est-ce que vous fabriquez dans ma chambre ?

CHAPITRE 3

WISTY

— Vas-y mollo avec elle. Compris ? a prévenu l'une des armoires à glace.

Ils me faisaient penser à des types des forces spéciales avec leurs chiffres blancs, étalés dans des proportions démesurées sur leurs uniformes.

— Tu sais qu'elle est capable de…

L'autre a hoché la tête en balayant nerveusement la pièce du regard.

— Toi, tu viens avec nous ! a commandé son copain sans détour. On est mandatés par le Nouvel Ordre. Un pas de travers et tu seras sévèrement punie !

Je l'ai fixé, médusée. Le Nouvel Ordre ? Ce n'étaient pas des policiers ordinaires ou des membres du personnel d'urgence.

— Je… euh… ai-je balbutié. Je dois m'habiller. Vous voulez bien me laisser deux minutes ?

— La ferme ! a aboyé le premier mec. Attrape-la ! Et prends tes précautions. Elle est dangereuse. Les autres aussi !

— Non ! Arrêtez ! Je vous interdis ! ai-je hurlé. Papa ! Maman ! Whit !

Alors, j'ai compris. J'ai compris et j'ai eu la sensation d'être heurtée de plein fouet par un bulldozer. Il était arrivé la même chose à Celia.

Pitié ! Des gouttes de sueur ont perlé dans ma nuque. *Il faut que je file d'ici,* ai-je songé avec l'énergie du désespoir. *D'une façon ou d'une autre.*

Il faut que je disparaisse.

CHAPITRE 4

WISTY

Les malabars en gris se sont soudain figés sur place, leurs crânes carrés se balançant d'avant en arrière, telles des marionnettes pendues à leurs ficelles.

— Où est-elle passée ? Elle a filé ? Envolée ! Par où elle est partie ? a demandé l'un des hommes d'une voix rauque qui trahissait un sentiment de panique.

Ils ont promené le faisceau de leurs lampes torches sur les murs, de tous côtés. L'un d'eux s'est agenouillé pour regarder sous le lit pendant que l'autre se précipitait vers mon placard pour le fouiller.

Comment ça, où étais-je partie ? Ces types étaient malades ou quoi ? J'étais juste sous leur nez. Qu'est-ce que c'était que cette histoire ?

Peut-être qu'ils me tendaient un piège pour que je m'enfuie en courant et qu'ils aient une excuse pour recourir à la violence ? À moins qu'ils n'aient été deux échappés de l'asile, venus me capturer comme pour Celia, la pauvre Celia, avant moi…

— Wisty ! a crié ma mère d'une voix rongée par l'angoisse, depuis le couloir. (Son cri m'a fait l'effet d'une décharge électrique.) Va-t'en, ma chérie !

— Maman ! me suis-je égosillée.

Les deux types ont cligné des yeux et sursauté sous le coup de la surprise.

— La voilà ! Attrape-la ! Elle est juste à côté ! Dépêche-toi avant qu'elle disparaisse encore !

Des mains lourdes m'ont empoigné les bras et les jambes puis la tête.

— Lâchez-moi ! ai-je hurlé en me débattant avec force. Lâ-chez-moi !

Seulement, ils me tenaient trop fermement. Ils m'ont traînée par terre jusqu'au salon où ils m'ont laissée tomber comme un vulgaire sac-poubelle.

J'ai bondi sur mes pieds. Des lumières m'ont aveuglée de plus belle. Ensuite, j'ai entendu Whit crier alors qu'on le jetait au travers de la pièce près de moi.

— Whit ? Que se passe-t-il ? Qui sont ces... monstres ?

— Wisty ! a-t-il haleté. Ça va ?

— Non.

Je me suis retenue de pleurer. J'étais à deux doigts de fondre en larmes mais refusais catégoriquement que ces types me voient en situation de faiblesse. Le flot des innombrables scènes de crime que j'avais vues à la télé m'est repassé en tête et mon cœur s'est gonflé de terreur. Je me suis blottie contre mon frère ; il a pris ma main dans la sienne et l'a serrée.

Les faisceaux lumineux ont soudain disparu et nous sommes restés plantés là, à battre des paupières en tremblant.

— Maman ? a appelé Whit. Papa ?

Si mon frère n'avait pas dessoûlé quelques instants plus tôt, c'était désormais chose faite.

J'ai poussé un cri de surprise en découvrant mes parents, debout, dans leurs pyjamas froissés, leurs bras tordus dans le dos, traités comme de dangereux criminels par ces brutes. Soit, nous n'évoluions pas dans un milieu favorisé mais personne, dans notre famille, n'avait auparavant eu d'ennuis.

En tout cas, pas à ma connaissance.

CHAPITRE 5

WISTY

Un des pires trucs qui soit dans la vie, c'est de voir son père et sa mère les yeux exorbités, impuissants, effrayés.

Et là, c'était mon cas. J'avais toujours cru qu'ils pouvaient nous protéger de tout. Ils n'étaient pas comme les autres parents. Je les trouvais tellement intelligents, délicats, accommodants, sages... et je voyais bien, à cet instant, qu'ils savaient quelque chose que Whit et moi ignorions.

Ils savent ce qui se passe et cela les terrorise, peu importe de quoi il s'agit.

— Maman ? l'ai-je interpellée, les yeux droits dans les siens à la recherche d'un message, d'un signal qui m'indiquerait la marche à suivre.

En la regardant, il m'est soudain revenu à l'esprit tout un tas de souvenirs. Des choses qu'elle et mon père avaient dites, comme :

— Whit et toi êtes à part, ma chérie. Vraiment à part. Et parfois, la différence effraie les gens. Et parce qu'ils ont peur, ils se mettent en colère et ne sont plus rationnels.

Seulement, tous les parents jugent toujours leurs enfants à part, pas vrai ?

— Et quand je dis « à part », je pèse mes mots, Wisty, avait une fois insisté ma mère, mon menton entre ses mains. Fais bien attention, ma puce.

Trois autres silhouettes ont émergé de la pénombre. Deux d'entre elles portaient une arme à la ceinture. La situation s'envenimait réellement. Des armes ? Des soldats ? Chez nous ? Dans un pays libre ? Et au beau milieu de la nuit ? Un soir de semaine, qui plus est.

— Wisteria Allgood ?

Alors qu'ils pénétraient dans le halo de lumière, j'ai vu deux hommes et…

Byron Swain ?

Byron était au lycée avec moi. Il avait un an de plus que moi et un de moins que Whit. Nous le détestions, mon frère et moi. À l'instar du reste des élèves, d'ailleurs.

— Qu'est-ce que tu fabriques ici, Swain ? a lancé Whit d'une voix rageuse. Fous le camp de chez nous !

— Essaie un peu qu'on rigole, a rétorqué Byron.

Là-dessus, il a décoché un sourire mielleux, ce qui a ravivé dans ma mémoire toutes les fois où, au lycée, je m'étais dit : « Quel blaireau ! » Il avait des cheveux bruns lissés vers l'arrière, peignés à la perfection, et des yeux marron sans expression qui me rappelaient ceux d'un iguane.

Pourquoi cette Palme d'or du crétin était-elle flanquée de deux commandos en uniforme foncé avec des bottes noires brillantes qui leur remontaient au-dessus des genoux et des casques en métal ? Le monde était sens dessus dessous, et moi, dans mon pyjama rose couvert de chatons, j'avais l'air ridicule.

— Qu'est-ce que tu fiches ici ? ai-je demandé à mon tour.

— Wisteria Allgood, a commencé Byron d'une voix monocorde proche de celle d'un huissier tandis qu'il déroulait un papier d'apparence très officielle. Par décret du Nouvel Ordre, tu es en état d'arrestation jusqu'à ton procès pour sorcellerie.

J'ai ouvert grand la bouche.

— Sorcellerie ? Ça va pas la tête ?

CHAPITRE 6

WISTY

Les deux abrutis en gris se sont avancés vers moi au pas. Par réflexe, j'ai aussitôt mis les mains en l'air. Étonnamment, les soldats du Nouvel Ordre se sont figés net et j'ai senti une décharge d'adrénaline m'envahir. Elle n'a toutefois pas duré.

— Corrigez-moi si je me trompe, mais on est au vingt et unième siècle, pas au dix-septième ! me suis-je exclamée d'une voix stridente.

J'ai plissé les yeux et toisé à nouveau ce fayot de Byron Swain, dans ses bottes cirées étincelantes, ce qui a ravivé ma colère.

— Pour qui vous vous prenez pour faire irruption chez nous comme ça et nous emme...

— Whitford Allgood, m'a interrompue ce lourdaud de Byron Swain pour continuer à réciter avec monotonie le texte officiel sur son papier : par le présent décret, tu es accusé de sorcellerie et seras retenu en garde à vue jusqu'à ton procès.

Il a adressé un sourire suffisant à Whit en dépit du fait que, dans des circonstances normales, mon frère aurait pu lui tordre le cou en deux temps, trois mouvements. Je suppose que la confiance en soi n'est pas difficile à acquérir quand on a des soldats armés qui vous obéissent au doigt et à l'œil.

— Wisty a raison. C'est n'importe quoi ! a répliqué Whit. (Il avait le visage empourpré et les iris, d'ordinaire bleus, rougis par la rage.) Les sorciers, ça n'existe pas. Si ce n'est dans les contes de fées. Pour qui tu te prends, sale fouine ? Un personnage de *Gary Blotter et la Confrérie des losers* ?

Mes parents, malgré leurs regards horrifiés, ne semblaient pas surpris, en réalité. Je n'y comprenais plus rien !

Je me souvenais vaguement d'un certain nombre de leçons bizarres qu'ils nous avaient données tout au long de notre enfance à propos de plantes et d'herbes ; les saisons étaient également un sujet important. Ils nous avaient aussi appris à nous concentrer, à visualiser l'objectif que nous cherchions à atteindre. Ils nous avaient enseigné un tas de trucs sur des artistes que nous n'étudierions jamais à l'école tels que Molock Trollack, De Glooming et Frieda Halo. En grandissant, j'ai fini par conclure que mes parents étaient juste un peu baba cool sur les bords. En revanche, je n'ai jamais remis leurs enseignements en question. Tout cela avait-il un rapport avec ce qui se produisait ce soir ?

Byron a jaugé Whit d'un regard impassible.

— En vertu du Code du Nouvel Ordre, vous pouvez chacun emporter un effet personnel avec vous. Je n'approuve pas cette décision mais c'est écrit dans la Loi et, bien sûr, je la suis à la lettre.

Sous l'œil attentif des soldats, ma mère s'est dirigée à la hâte vers les rayons de la bibliothèque. Elle a marqué un temps d'hésitation et adressé un regard à mon père.

Il a hoché la tête en retour et elle a saisi une vieille baguette qui traînait depuis toujours sur les étagères. D'après la légende qui circulait dans la famille, mon grand-père, un homme soi-disant sauvage, avait à l'époque bondi sur scène lors d'un concert des Groaning Bones et arraché la baguette des mains du batteur. Ma mère me l'a tendue.

— S'il te plaît, prends-la sans poser de question, Wisteria. Emporte cette baguette avec toi. Je t'aime si fort, ma puce.

Ensuite, mon père a sorti de l'étagère près de sa chaise de lecture un livre sans titre que je n'avais encore jamais vu – un journal, probablement – et l'a jeté dans les mains de Whit.

— Je t'aime, Whit.

Une baguette et un vieux bouquin ? Et pourquoi pas une batterie pour aller avec la baguette ? Ils ne pouvaient pas plutôt nous donner un objet de famille ou un truc vaguement personnel qui nous remonterait le moral quand nous le regarderions ? Ou alors une provision gargantuesque de sucreries que Whit pourrait avaler lorsqu'il aurait besoin d'énergie ?

Ce cauchemar n'avait aucun sens.

Byron a arraché des mains de Whit le livre qui tombait en lambeaux pour le feuilleter.

— Il est vierge, a-t-il commenté avec surprise.

— Ouais, comme ton carnet d'adresses, a répliqué Whit.

Je dois admettre qu'il peut être drôle quand il veut, si ce n'est que ses blagues ne tombent pas toujours au meilleur moment.

Byron a balancé le livre au visage de mon frère qui a brusquement tourné la tête de côté comme si elle avait été montée sur pivot.

Whit a ouvert grands les yeux et bondi vers Byron, mais les soldats se sont mis en travers de son chemin.

Celui-ci, debout derrière son rempart humain personnel, souriait avec malice.

— Conduisez-les à la camionnette, a-t-il ordonné.

Aussitôt, les hommes ont refermé leur étau sur moi.

— Non ! Maman ! Papa ! Au secours ! ai-je hurlé en tentant de me dégager, en vain.

Autant essayer de sortir d'un piège en acier. Des bras lourds comme du plomb m'ont tirée jusqu'à la porte ; je suis parvenue à lancer un ultime regard à mes parents, gravant ainsi dans ma mémoire le spectacle de leur visage empreint de terreur, leurs yeux mouillés de larmes.

Au même instant, une sorte de souffle est passée rapidement sur moi, chaud et puissant. En un éclair, j'ai senti le sang me monter à la tête, mes joues s'empourprer, brûlantes, et la sueur perler sur ma peau bouillante. Un bourdonnement m'a enveloppé de toutes parts…

Vous n'allez pas me croire et pourtant c'est vrai, je le jure.

J'ai alors vu de mes propres yeux des flammes d'une trentaine de centimètres sortir des pores de mon corps.

CHAPITRE 7

WISTY

J'ai entendu des hurlements d'effroi ; ils provenaient de partout, même des hommes du commando. Bouche bée, j'observais les flammes jaune orangé qui émanaient de moi.

Et si cela vous paraît bizarre, écoutez un peu ça : après, je n'ai plus ressenti la moindre chaleur et, en examinant mes mains, je me suis aperçue qu'elles arboraient leur teinte habituelle et aucune rougeur ni trace de brûlures noires.

C'était absolument incroyable.

Tout à coup, un des soldats m'a jeté le vase en porcelaine de ma mère à la figure. J'étais trempée et les flammes, elles, avaient disparu.

Les petits copains de Byron Swain piétinaient les rideaux et les endroits du tapis où les soldats m'avaient lâchée, qui fumaient encore.

Ensuite, Byron qui, visiblement, avait fui les lieux pendant mon immolation, est réapparu dans l'encadrement de la porte, le teint verdâtre. Il m'a pointée d'un doigt frêle et tremblant.

— Vous voyez ? Qu'est-ce que je vous avais dit ? a-t-il rugi d'une voix éraillée. Enfermez-la ! Abattez-la si nécessaire. Peu importe !

J'ai subitement été submergée par cet affreux pressentiment qui me retournait l'estomac : l'impression que cette nuit avait été inévitable, qu'elle était écrite – une sorte d'épisode incontournable de ma vie.

Reste que j'ignorais totalement d'où me venait cette certitude et encore moins les conséquences qu'elle impliquait.

CHAPITRE 8

WHIT

Je n'avais pas rêvé ce qui s'était passé plus tôt, mais en voyant Wisty prendre feu, j'ai pensé que, sous l'effet de la tension, j'hallucinais.

C'est vrai, on ne peut pas décemment s'attendre à ce que quelqu'un, aussi reposé, détendu, les pieds sur terre et libéré de tous maux de l'esprit soit-il, réagisse, face au spectacle de sa sœur en feu, en disant : « Oh regardez ! Ma petite sœur vient de se transformer en torche vivante. »

Quand même pas.

Mais très vite, toutefois – un effet de la chaleur, de la fumée et des tentures de notre salon qui brûlaient, probablement –, j'ai fini par me résoudre à l'évidence de la situation.

J'ai cru que c'était ces brutes du Nouvel Ordre qui avaient mis le feu à ma sœur ; alors, poussé par la rage, j'ai rassemblé la force de me dégager et de leur échapper. Et je jure que j'aurais envoyé au tapis ces salauds si je ne m'étais pas précipité au secours de ma sœur en premier.

Au même moment, le chaos a éclaté dans la maison.

Même si je ne me suis jamais retrouvé au cœur d'une tornade, j'ai aussitôt deviné que ce qui se passait devait s'en rapprocher. Les fenêtres ont brusquement explosé et le vent s'est engouffré avec la violence d'un torrent de montagne, renversant tout sur son passage – bris de verre, lampes halogènes, tables basses.

Le bruit recouvrait tout, et la pluie tombait avec une violence telle que l'eau elle-même, sans parler des débris dont elle était chargée, piquait à la manière d'un essaim d'abeilles.

Bien entendu, je n'y voyais rien non plus. Ouvrir les yeux, c'était risquer la cécité à vie à cause des échardes, des éclats de verre et des morceaux de plastique.

C'est pourquoi me libérer de l'emprise des autres molosses ne m'a pas été d'une grande utilité. Tous, nous nous agrippions au sol, aux murs, à toute chose paraissant plus résistante que nous et capable de nous sauver d'une aspiration brutale par la fenêtre, qui aurait précédé une mort certaine.

Je me suis efforcé de crier le nom de Wisty mais je n'entendais même pas ma propre voix.

Le calme et le silence sont subitement revenus.

J'ai sorti la tête du creux de mon coude… et contemplé une scène que je ne suis pas près d'oublier.

Un homme, grand, chauve, large d'épaules, se tenait debout au centre de notre salon renversé. Vous ne trouvez pas cela effrayant ? Réfléchissez avant de répondre.

Ce type, c'est le diable en personne.

— Je vous salue, chers membres de la famille Allgood, a-t-il dit d'une voix si puissante et posée qu'elle m'a contraint à tendre l'oreille à chaque syllabe qui se détachait. Je suis Le Seul-L'Unique. Vous avez dû entendre parler de moi, non ?

Mon père a pris la parole :

— Nous savons qui vous êtes et vous ne nous faites pas peur. Nous n'obéirons pas à vos lois viles.

— Je ne m'attendais pas à ce que vous obéissiez à la moindre règle, Benjamin. Ni vous, Eliza, s'est-il adressé à ma mère. Pour les marginaux tels que vous, il n'y a que la liberté qui compte. Mais peu importe que vous acceptiez cette nouvelle réalité ou non ; c'est pour vos enfants que je suis ici aujourd'hui. C'est sur ma requête qu'on les arrête. Je commande. On obéit. Vous comprenez ?

Le type chauve nous a adressé un regard à ma petite sœur et moi, puis il a souri de façon agréable, presque chaleureuse.

— Je veillerai à ce que les choses soient simples pour vous deux. Il vous suffit de renoncer à votre existence actuelle ; autrement dit, vos libertés, vos habitudes et surtout, vos parents. Alors, vous serez épargnés. On ne vous touchera pas un seul cheveu, je vous le garantis. Renoncez à votre ancienne vie et à vos parents, c'est tout ce que j'exige. Simple comme bonjour.

— Jamais de la vie ! ai-je répliqué dans un hurlement.

— Vous pouvez toujours courir : ça ne risque pas d'arriver, a répondu Wisty. C'est à vous qu'on renonce, votre Chauveté, votre Cruauté !

Ce commentaire l'a en réalité fait ricaner, ce à quoi je ne m'attendais pas du tout.

— Whitford Allgood ! s'est exclamé Le Seul-L'Unique en me fixant droit dans les yeux.

Une chose étrange s'est alors produite : je ne pouvais ni bouger ni parler, mais simplement écouter. C'était le summum du flippant.

— Je dois admettre que tu es un garçon superbe, Whitford. Grand, blond, fin tout en étant musclé, avec des mensurations parfaites. Tu as les yeux de ta mère. Je sais que jusqu'à dernièrement – la disparition tragique et regrettable de ta petite amie et moitié Celia –, tu étais un garçon irréprochable.

Une vague de fureur et de frustration s'est élevée en moi. Que savait-il au juste sur Celia ? Il avait arboré un sourire suffisant en évoquant sa disparition. Il était au courant de quelque chose. Il se payait ma tête.

— Mais la question, c'est : es-tu capable de rentrer dans le droit chemin ? a-t-il repris. Et d'obéir aux règles ?

Il a levé les mains en l'air.

— Tu l'ignores ? s'est-il étonné tandis que ma bouche, paralysée, m'empêchait de déblatérer le flot d'injures qui me brûlait les lèvres.

Il a alors fait face à Wisteria.

— Wisteria Allgood, je sais tout de toi aussi. Désobéissante, récalcitrante, championne de l'école buissonnière, condamnée à un total de plus de deux semaines d'heures de colle au lycée. Pour toi, la question est : seras-tu jamais capable d'entrer dans le droit chemin ? D'apprendre à obéir ?

Il dévisageait Wisty sans mot dire. Et, fidèle à elle-même, elle a effectué une petite courbette irrésistible avant de proclamer :

— Naturellement, monsieur, vos désirs sont des ordres.

Sans crier gare, Wisty a arrêté là les sarcasmes et j'ai compris qu'il l'avait paralysée elle aussi. Alors Le Seul-L'Unique s'est tourné vers ses gardes.

— Emmenez-les ! Qu'ils ne revoient plus jamais leurs parents. Pas plus que vous, Ben et Eliza, ne reverrez donc vos chérubins jusqu'au jour de votre mort à tous les quatre.

CHAPITRE 9

WHIT

Wisty et moi, nous roulions dans une grosse camionnette noire sans fenêtres. Mon cœur battait la chamade et je n'y voyais pratiquement rien tant la décharge d'adrénaline avait été puissante. Il m'a fallu user du peu de bon sens qui me restait pour ne pas me jeter contre les parois du véhicule. Je m'imaginais en train de cogner ma tête contre les murs en métal, d'ouvrir les portes à coups de pied, d'aider Wisty à sortir et de m'enfuir dans la nuit...

Tout ce que je savais, c'est que je n'étais pas un sorcier ni un super-héros d'ailleurs. Je n'étais qu'un lycéen arraché à son foyer.

J'ai jeté un coup d'œil à la pauvre Wisty, mais je parvenais à peine à discerner son profil dans la pénombre. Ses cheveux, mouillés de sueur, gouttaient sur mon bras, et elle tremblait comme une feuille. De froid, de peur ou d'incrédulité totale, je n'aurais pu le dire avec certitude.

J'ai passé mes bras autour de ses maigres épaules avec maladresse, à cause de mes menottes, et y ai glissé sa tête. Je ne me souvenais plus la dernière fois que j'avais fait ça, sauf peut-être quand je la plaquais au sol parce qu'elle avait fouillé dans mes affaires ou lorsqu'elle nous épiait… Celia et moi.

Je préférais ne pas penser à ma copine pour l'instant, sinon je risquais de péter complètement les plombs.

— Ça va ? ai-je interrogé ma sœur qui ne présentait aucune trace de brûlure… ni odeur suspecte de chair cuite au barbecue.

— Comment ça pourrait aller ? a-t-elle répondu sans ajouter le traditionnel « imbécile » à la fin de sa phrase. Ils ont dû renverser sur moi un produit inflammable. Je ne vois pas d'autre explication. Heureusement, je ne suis pas blessée.

— Je les aurais vus si c'était le cas. Tu t'es enflammée comme par enchantement ! (J'ai esquissé un sourire.) Je ne t'ai pas déjà conseillé de changer de marque de laque pour tes cheveux ?

Wisty est rouquine et sa chevelure est super épaisse et ondulée. Elle la déteste mais moi je la trouve plutôt cool.

Ma sœur était trop effrayée pour réagir à ma blague. En tout cas, au début.

— Whit, c'est quoi ce délire ? Et qu'est-ce que ce crétin de Byron Swain a à voir là-dedans ? Qu'est-ce qu'on va devenir ? Et papa et maman ?

— Ça doit être une erreur. Une erreur monumentale. Les parents ne feraient pas de mal à une mouche.

L'image de mon père et ma mère impuissants, tenus fermement, m'est alors revenue et j'ai dû redoubler de force pour contenir ma rage.

Au même instant, la camionnette s'est arrêtée par à-coups. Crispé, j'ai fixé les portes, prêt à me ruer sur le premier qui les ouvrirait en dépit de mes menottes et même si c'était un soldat gigantesque gonflé aux hormones.

Je ne les laisserais pas faire du mal à ma sœur. S'ils croyaient que j'allais obéir à leurs règles débiles comme un gentil chien-chien à sa mémère, ils se fourraient le doigt dans l'œil.

CHAPITRE 10

WHIT

On aurait dit qu'on s'était réveillés dans un État totalitaire.

La première chose que j'ai remarquée, c'étaient les dizaines de drapeaux qui battaient au vent avec leurs majuscules noires, immenses : NO.

NO. Ça frôlait la poésie et paraissait tellement déplacé.

Avec Wisty, nous nous tenions face à un immense bâtiment dénué de fenêtres et entouré d'une clôture surmontée de barbelés, fermée au moyen d'une chaîne. « MAISON DE REDRESSEMENT DU NOUVEL ORDRE » était gravé en lettres géantes dans une pierre qui s'élevait très haut au-dessus du portail en fonte.

Les portes ont alors grincé et je me suis rendu compte que foncer la tête la première pour aller se mettre en sécurité n'était peut-être pas une si bonne idée. Dix gardes – pas un de moins – en uniforme noir sont apparus et se sont joints aux deux chauffeurs pour former un arc de cercle à l'arrière de la camionnette.

— Ne les perdez surtout pas de vue, a dit l'un des gardes. Vous savez qu'ils sont...

— Oui, on sait, a retenti la voix grincheuse d'un des chauffeurs de la camionnette. Il n'y a qu'à regarder nos marques de brûlure.

Je n'ai même pas cherché à me débattre au moment où ces troupes d'assaut stupides nous tiraient vers l'avant pour passer par la grille.

Malgré mon gabarit – un mètre quatre-vingt-deux pour quatre-vingt-sept kilos –, ces types donnaient l'impression que je n'étais qu'un sachet de pop-corn. Wisty et moi nous sommes efforcés de rester droits sur nos jambes mais ils nous faisaient perdre l'équilibre sans arrêt.

— On peut marcher ! s'est écriée Wisty. Inutile de nous traîner comme si on était inconscients !

— Et si on remédiait à cela ? a menacé l'une des brutes.

— Écoutez ! Écoutez-moi, il doit y avoir erreur sur... ai-je tenté.

Mais lorsque le garde, près de moi, a levé sa matraque, je me suis tu sur-le-champ. Ils nous ont poussés dans les marches en béton, par les lourdes portes en métal, jusqu'à un vestibule baigné d'une lumière aveuglante. Le bâtiment ressemblait à une prison, avec sa porte verrouillée, son vigile baraqué debout derrière une vitre épaisse et un autre armé d'une matraque, prêt à s'en servir, visiblement, au moindre incident.

Une sonnette a vrombi et la porte s'est ouverte.

— Vous ne trouvez pas que vous avez l'air ridicules, les mecs ? ai-je lancé. C'est vrai, douze armoires à glace

contre deux ados. C'est la honte, non ? Vous ne...
Aïe !

Un garde venait de m'asséner un coup de bâton dans les côtes.

— Je vous conseille de commencer à réfléchir à votre interrogatoire, nous a-t-il avertis. Vous parlez ou vous mourrez. C'est vous qui choisissez, les mioches.

CHAPITRE 11

___

WISTY

Peu à peu, je finissais par croire que ce cauchemar éveillé était bel et bien réel, et là, on venait de me priver du menu plaisir de l'affronter dans mon vieux pyjama rose préféré. Ils nous ont ordonné d'enfiler des uniformes de détenus, rayés gris et blanc, qui donnaient l'impression d'être dans un vieux film sur la Seconde Guerre mondiale. L'uniforme de Whit lui allait – je suppose qu'il devait avoir la taille mannequin dans la catégorie « prisonnier » –, mais le mien me tombait sur les hanches à la manière d'une voile un jour sans vent.

Mon vieux pyjama, c'est tout ce qui me rattachait encore à la maison. Sans lui, il ne me restait plus que la baguette pour me rappeler ma vie d'avant.

La baguette. *Pourquoi une baguette, maman ?* Elle me manquait déjà et une angoisse terrible me submergeait chaque fois que je me mettais à imaginer ce qu'ils avaient pu lui faire, à elle et papa.

— Pas la peine de lui tordre le bras comme ça ! a grondé Whit à l'intention de mon garde.

J'aurais juré qu'il allait me déboîter l'épaule.

— La ferme, le sorcier, a rugi le type avec hargne tout en continuant de nous faire franchir de force une énième porte électronique portant l'inscription « Propriété du Nouvel Ordre ».

Finalement, nous nous sommes retrouvés dans un hall immense, haut de cinq étages et cerné de tous côtés par des cages et des cellules à barreaux.

Destinées à des criminels.

Et nous. Mon frère et moi. Vous imaginez ? Non, probablement pas. Comment une personne normalement constituée pourrait-elle envisager ça ?

La porte de l'une des cellules a coulissé et les gardes m'ont jetée à l'intérieur. Mes genoux et mes mains ont heurté le ciment, par terre.

— Wisty ! a hurlé Whit alors qu'ils le traînaient plus loin.

Ma porte s'est refermée sans attendre. J'ai plaqué mon visage contre les barreaux pour tenter de voir où ils emmenaient mon frère ; ils l'ont poussé à l'intérieur de la cellule adjacente.

— Wisty, ça va ? a aussitôt voulu savoir Whit.

— On fait aller, oui. (J'ai examiné mes genoux éraflés.) Simplement, il faudrait que je revoie la définition du verbe « aller ».

— On va sortir d'ici. (Dans sa voix filtraient à la fois le courage et la colère.) Ils ont commis une bourde, c'est tout. Une méga bourde.

— Si quelqu'un se trompe ici, c'est toi l'ami !

La voix venait de la cellule de l'autre côté de celle de Whit.

— Hein ? Qui parle ? l'a interrogé mon frère.

J'ai tendu l'oreille pour entendre sa réponse.

— Je suis le prisonnier numéro 450209A, a déclaré la voix. Crois-moi si je te dis qu'il n'y a eu aucune erreur. Ils n'ont pas non plus oublié de vous lire vos droits. Et ne comptez pas qu'ils vous proposent un avocat ni même de passer un coup de fil. Quant à vos parents, ils ne viendront pas vous chercher non plus. *Jamais.* C'est long, l'éternité.

— Qu'est-ce que tu en sais ? ai-je crié.

— Tu as quel âge ?

— Bientôt dix-huit ans, a dit Whit. Et ma sœur en a quinze.

— Eh bien moi, j'ai treize ans alors vous ne devriez pas être trop dépaysés ici.

Sur ce, j'ai embrassé du regard les cellules de l'autre côté du couloir. Visage après visage, je n'ai lu qu'une seule et même expression : la peur. Des enfants effrayés en uniformes de prison trois fois trop grands.

À croire que cet endroit n'existait que pour eux. Des enfants, encore et encore, toujours plus nombreux.

CHAPITRE 12

WISTY

— Ouais, il ne reste pratiquement plus que des enfants ici, maintenant, a expliqué quelqu'un, dans une cellule, plus loin. Je suis là depuis neuf jours – je suis arrivé dans les premiers. Mais ces trois derniers jours, ce trou à rats s'est rempli à vue d'œil.

— Tu as une idée de ce qui se passe ? s'est risqué Whit à mi-voix pour ne pas attirer l'attention.

— Pas franchement, non, mon pote, mais j'ai surpris une conversation entre des gardes à propos d'un grand ménage, a dit le garçon tout bas, son visage plaqué contre les barreaux. Le Nouvel Ordre, ça te rappelle quelque chose ? Tu sais, c'est le parti politique qui a remporté toutes les élections. C'est lui qui contrôle tout à présent. En quelques mois seulement, il a réussi à dissoudre le gouvernement et à instaurer le Conseil des Élus. Tu en as entendu parler ? L'Élu qui Commande, L'Élu qui Juge, L'Élu qui Emprisonne, L'Élu qui Assigne des Numéros, Le Seul-L'Unique, et patati, et patata.

— Soit, le Nouvel Ordre et la politique, a consenti Whit, mais quel rapport avec nous ?

— Ils ne font qu'un avec la Loi et l'Ordre, mec. Ce sont eux qui nous ont enfermés ici et eux aussi qui vont décider de notre sort.

— Je ne comprends toujours pas pourquoi ils s'en prennent aux enfants, suis-je à nouveau intervenue.

— Parce qu'on répond ? Parce qu'on est durs à maîtriser ? Parce qu'on a une imagination fertile ? Parce qu'on n'a pas encore subi de lavage de cerveau ? Qui sait ? Tu n'auras qu'à poser la question à L'Élu qui Juge… le jour de ton procès !

Je me suis pressée contre les barreaux tant que j'ai pu pour tenter d'apercevoir Whit.

— Un procès ? Quel procès ? me suis-je inquiétée. De quoi on nous accuse ?

Bam !

Un garde, qui s'était approché à pas feutrés, m'a empoigné le bras à travers les barreaux pour le tordre à un angle peu naturel.

— Si vous continuez à parler aux autres prisonniers, je vous enferme à l'isolement ! a-t-il rugi.

Une fois de plus, il a tiré sur mon avant-bras pour l'amener dans une position des plus douloureuses tout en riant à la manière d'un personnage dans un vieux dessin animé, fou et méchant. J'étais dans un état de furie tel que j'aurais voulu arracher les barreaux et le rouer de coups de pied quand, soudain, une décharge d'adrénaline s'est propagée dans tout mon corps.

Oh-oh.

L'instant d'après, j'avais sous les yeux un garde en feu, embrasé par des flammes qui émanaient de... moi. Encore une fois.

— Aaaah ! s'est écrié l'homme tandis que sa manche et la jambe de son pantalon brûlaient.

Il est parti en courant chercher un extincteur dont il s'est aspergé pendant que ses petits copains se ruaient vers ma cellule.

— Wisty ! a hurlé Whit. Baisse-toi !

J'ai porté mes mains à mon visage pour me protéger de la mousse, censée éteindre les flammes, qui giclait sur moi. Rectification : *mes* flammes. Tout à coup, celles-ci ont disparu, laissant place à un croisement entre un simili arbre de Noël dénudé et une tarte à la crème, ou encore un zombie roux ressuscité d'entre les morts croisé avec un bonhomme de neige.

— Fini les mauvais tours, a déclaré le garde d'une voix grave. Suis-moi. Immédiatement.

Quatre employés du Nouvel Ordre, munis de battes et de pistolets à électrochocs se sont avancés d'un pas lourd et m'ont saisie violemment par les membres supérieurs pour me traîner dans le couloir pendant que quatre autres brutes ouvraient la cellule de Whit.

À l'instant où les brutes nous ont jetés dans une pièce portant l'inscription « Salle d'interrogatoire », j'étais prête à montrer à L'Élu qui Interroge pourquoi j'avais accumulé un total de deux semaines d'heures de colle au lycée.

Seulement, lorsque la porte s'est ouverte n'est apparu nul autre que ce crétin de Byron Swain, suivi de deux gardes.

— Je vous ai manqué ? a-t-il lancé, un sourire répugnant aux lèvres.

CHAPITRE 13

WHIT

Sa coiffure du parfait représentant en assurance, ses polos aux couleurs criardes et ses pantalons repassés au millimètre près, avec des plis bien marqués, couplés, surtout, à ses airs de M. Je-sais-tout avaient valu à Byron l'indécrottable réputation de lèche-bottes invétéré. De près, son visage, aux traits tirés, respirait la méchanceté et rappelait un furet vicieux, à l'affût du moindre faux pas qu'il aurait pu rapporter au directeur.

Il a jeté un dossier sur la table métallique et fait signe aux deux gardes qui ont reculé, dos au mur.

— Tu t'es mis à la muscu, Swain ? l'ai-je provoqué, les poings serrés. Non pas que cela se voie… C'est vrai, il ne faut jamais que six gardes pour couvrir tes arrières.

Les joues de Swain se sont instantanément empourprées.

— On sait toi et moi pourquoi tu es ici, a-t-il rétorqué en arpentant la pièce. N'est-ce pas ?

Ce minus parlait sur un ton autoritaire et cherchait à se donner l'air viril, mais sa voix nasillarde sabotait tous ses efforts. Il me couvait du regard, de ses pupilles sans vie.

— Plus vite tu avoueras, mieux cela vaudra pour toi et ta sœur la cracheuse de flammes.

— Aucune idée d'où tu veux en venir, Skippy, ai-je rétorqué.

Il a plissé ses yeux de fouine et s'est brusquement penché par-dessus la table, nez à nez avec moi.

— Laisse tomber la comédie. Ça ne prend pas avec moi, OK ? l'ai-je rembarré.

— Vous essayez de protéger quelqu'un tous les deux ? a-t-il demandé d'une voix hargneuse sans réagir à ma raillerie. Si c'est le cas, on ne peut pas dire que c'est réciproque. Vos copains nous ont déjà avoué tout ce qu'on avait besoin de savoir à votre sujet. On est au courant de tes problèmes d'alcool, Whitford, et on n'a plus besoin de confirmation quant aux penchants pyromanes de ta sœur. Mais ceci n'est qu'une goutte d'eau dans l'océan d'informations que vos potes ont déversé. Magnifique à voir. On aurait dit une poignée de billes : difficile de sortir plus vite.

— Tu m'en diras tant, ai-je relevé. Tu sous-entends qu'ils t'ont donné la cachette de mon stock de beignets ? Mes codes secrets pour tricher aux jeux vidéo ? Ils t'ont raconté que j'avais eu huit sur vingt en bio au dernier contrôle ? Même mes parents ne sont pas au courant. Je ne sais pas pourquoi mais être consigné, c'est plus ce que c'était.

— Tu t'es planté au dernier exam de bio ? a murmuré Wisty tandis que j'observais la veine qui ressortait sur le front de Byron. Cool !

— Ferme-la, toi !

Wisty lui a répondu en tirant la langue.

— Je t'ai vue tout à l'heure, a-t-il repris. Tu as pris feu sous mes yeux ! Sans la moindre trace de brûlure après ! Si tu comptes me convaincre que c'est normal et qu'il n'y a aucun mal à cela, tu repasseras. Tu trouves ça dur d'être dans cette prison de rien du tout ? Crois-moi, ce n'est qu'un début. Ça oui, je vous le garantis, les zarbis.

— Tu sais, Byron, a commencé Wisty de sa pire voix de pimbêche, le zarbi, ici, c'est toi. On devrait d'ailleurs t'ajouter à notre liste de poupées vaudoues.

Cette fois, Swain a réagi et, d'un bond à travers la table, il a empoigné ma sœur si fort qu'elle a glapi. Alors, il s'est passé un truc hallucinant — et encore, c'est peu dire : un faisceau d'une lumière aveuglante est parti de la main libre de Wisty pour rejoindre la poitrine de Byron.

Le fayot s'est mis à geindre comme un cochon qu'on égorge. Éjecté vers l'arrière, il a atterri sur les fesses entre les gardes stupéfaits.

Les yeux exorbités, j'ai considéré ma sœur avec incrédulité en comprenant qu'elle venait de frapper Byron de la foudre.

La foudre ! Un petit éclair, soit, mais un éclair malgré tout. Sorti tout droit du bout de ses doigts !

— Qu'est-ce que je disais ? Une preuve de plus ! s'est écrié Byron d'une voix haut perchée.

Il arborait une teinte écarlate tirant sur le violet et se frottait le torse, l'air visiblement horrifié par les traces de brûlure sur sa chemise.

— Sale sorcière ! Tu finiras cloîtrée pour le restant de tes jours !

Il s'est levé pour sortir de la pièce d'un pas mal assuré.

— Tu foudroies les gens maintenant ? ai-je lancé à Wisty. Tu m'étonneras toujours !

CHAPITRE 14

WHIT

J'ai dû m'endormir juste après que Swain Sans-Cerveau s'en aille. À mon réveil, dans ma cellule, des larmes piquaient mes joues en feu.

Je ne suis pas franchement du genre mauviette, même si, parfois, devant les films trop tristes, ça m'arrive de pleurer. Mais cette fois, j'étais en pleurs parce que je venais de parler à Celia. En rêve, soit, mais c'était si réel que j'aurais juré qu'elle était là. Rectification : elle était *là*. Je me souvenais l'avoir tenue dans mes bras un temps record dans l'histoire du câlin de cinéma.

— Whit ! Tu m'as manqué ! a-t-elle commencé comme si de rien n'était, comme si nos retrouvailles n'avaient rien d'anormal après tous ces mois sans se voir. Je me suis entraînée à rester cool pour aujourd'hui. Ça n'a pas trop payé, on dirait... (Elle a souri du bout des lèvres.) Désolée.

— Celia, ça va ? Tu étais où ? Qu'est-ce qui t'est arrivé ? ai-je lâché sur fond du tam-tam de mon cœur.

— Je vais tout te raconter, promis. Mais la question pour l'instant, c'est : toi, comment vas-tu ? Et Wisty ?

— Tu me connais, Celia : je gère. Quant à Wisty, c'est une dure. À propos, elle fume maintenant ! ai-je dit en riant de ma propre blague. Bon, j'avoue : on hallucine un peu quand même.

Celia m'a décoché un nouveau sourire, à la limite du supportable. Comment avais-je pu survivre jusqu'ici sans cette bouche ? En plus de son sourire à tomber, elle était belle à pleurer avec sa peau lisse, ses longues boucles brunes. Ses yeux, d'un bleu très profond, ne mentaient jamais même si parfois j'aurais préféré ne pas entendre la vérité.

— Tu as l'air en forme, Whit, pour quelqu'un qui vient d'être kidnappé, battu et emprisonné sans raison.

Son sourire n'était plus qu'un demi-sourire.

— T'inquiète ! Parlons plutôt de toi. Raconte-moi tout, Celia. Tout ce qui s'est passé.

Elle a grimacé à ma question, remuant la tête de droite à gauche avant de se mettre à pleurer.

— Je ne peux pas répondre. Whit, je sais que je viens seulement d'arriver mais je dois vraiment y aller. Je voulais m'assurer que tu allais à peu près bien. Et… je sais que ça va paraître bizarre que je te dise ça à *toi*, en particulier, mais : tiens bon, OK ? Wisteria et toi, il faut vous accrocher. Sinon, c'est la mort assurée.

Sur ces paroles, elle s'est envolée et je me suis réveillé. Avec des instructions claires pour la suite.

Tenir bon.

CHAPITRE 15

WISTY

Avant, je trouvais ça drôle de me prendre des heures de colle. Pour moi, c'était un honneur ou presque. C'est fou ce qu'on peut changer d'avis rapidement parfois.

Mon ancienne vie et les jours où, téméraire, je séchais les cours, semblaient toutefois à des années-lumière. Cette époque me manquait. Notre maison aussi. Sans parler de mes parents. C'était insupportable… J'avais l'impression que j'allais imploser.

Les yeux rivés au plafond, je me suis mise à rêver éveillée…

J'ai repensé aux fois où ma mère s'allongeait avec Whit et moi, quand nous étions petits, et qu'elle se mettait à rigoler. Ma mère et ses fous rires ! Elle nous a appris à aimer rire ; d'après elle, il n'y a rien de meilleur dans la vie.

Et aussi…

Mon père… quand il nous expliquait que son rôle, c'était d'être notre père justement, pas notre copain – il y a une distinction importante entre les deux, insistait-il. Pourtant, il avait fini par devenir notre meilleur ami.

Et toutes ces excursions en famille, ces sorties aux musées d'art, tels le Betelheim et le Britney. Sans oublier les traditionnelles vacances annuelles en camping qui auraient pu être rasoirs. Mais non, loin de là ! Une fois par saison, nous partions, par tous les temps, dans la pluie, le froid et le vent. Nous avons appris à survivre dans ce monde et surtout à apprécier les richesses de la nature qui s'offraient à nos yeux.

Comme ce gigantesque chêne dans notre jardin – celui que Whit et moi avons commencé à escalader dès que nous avons su marcher et… tomber.

Là, deux gardes sont apparus à la porte.

Avec des menottes.

Et des fers pour les chevilles.

— C'est pour moi ? me suis-je réjouie avec un large rictus. Vraiment, il ne fallait pas !

Étonnamment, ni l'un ni l'autre n'a paru apprécier la blague.

— Par ici, la sorcière ! a aboyé un des hommes. Aujourd'hui, tu passes au tribunal. Tu vas pouvoir rencontrer L'Élu qui Juge, et je te préviens : il ne va pas te plaire !

— Évidemment, est intervenu l'autre type, ce sera réciproque !

Là-dessus, en revanche, tous deux ont explosé de rire.

CHAPITRE 16

WHIT

La lumière du jour – qui paraissait nous avoir fait défaut depuis des siècles – a filtré par les fenêtres du tribunal, hautes d'une dizaine de mètres. Elle était si vive qu'elle nous aveuglait presque. J'ai plissé les yeux et tenté de mettre mes mains en visière ; au bout du compte, je n'ai réussi qu'à me taper le front avec mes menottes. Pas finaud, le mec !

Je pensais que plus rien ne pouvait me choquer dans la vie et pourtant, à cet instant, j'étais abasourdi par le spectacle.

Un portrait gigantesque de Le Seul-L'Unique pendait au milieu de la pièce, rappelant les tableaux de généraux ou d'empereurs. Une énorme cage métallique trônait face au bureau du juge. Oui, oui, une cage, à l'instar de celles qu'on utilise pour plonger avec les requins. L'un des gardes a maintenu la porte ouverte tandis qu'un autre nous poussait à l'intérieur.

À l'intérieur d'une cage.

Dans une salle d'audience.

— Je commence à m'habituer à tout voir à travers des barreaux, a commenté Wisty sur un ton proche de la résignation.

Cela ne lui ressemblait pas.

— Ne dis pas ça, ai-je rétorqué à mi-voix mais sèchement. On va sortir de cette maison de dingues. Je te le promets.

Comment ? Là était la question. J'ai balayé des yeux la salle de tribunal. Autour de nous, un mur d'indifférence, voire de haine, s'élevait, impénétrable. À cela s'ajoutait une dizaine de gardes armés.

Un juge – L'Élu qui Juge, ai-je supposé – dardait des regards furieux, perché sur son estrade, face à nous, ses cheveux fins, gris et gras collés au front.

Sur le côté droit de la salle, derrière une sorte de cloison basse, un jury nous fixait, l'air toutefois absent. Il était exclusivement composé d'hommes d'âge mûr dont aucun, visiblement, ne paraissait trouver le moins du monde étrange la comparution de deux enfants enfermés dans une cage.

C'était officiel : le monde était devenu fou.

CHAPITRE 17

WHIT

L'Élu qui Juge a enfilé de minuscules lunettes sur le bout de son nez allongé et crochu, puis nous a toisés avec une mine renfrognée. J'ai lu le nom sur sa plaque en or : « Juge Ezekiel Unger ».

Il a pris une feuille de papier et lu d'une voix stridente :

— « Whitford Allgood ! Wisteria Allgood ! Nous sommes réunis ici afin que vous soyez jugés pour les pires crimes pouvant porter atteinte au Nouvel Ordre. »

Il nous a foudroyés du regard.

Dans notre dos se tenait debout une audience d'adultes. Je me suis retourné pour mieux les observer. Dans les yeux du peu d'entre eux qui me regardaient, je lisais une haine effroyable.

J'ai frotté mon front sur mon bras tandis que le juge proférait avec rage un discours plein de jargon juridique.

J'ai jeté un coup d'œil au jury ; je ne pouvais pas croire qu'aucun de ses membres n'éprouverait la moindre pitié à l'égard des deux adolescents, sales et visiblement affamés, que nous étions. Des mineurs menottés, dans une cage, sans avocat pour les représenter ? Seulement, leurs visages étaient figés dans une expression de condamnation. À croire qu'on les avait payés pour nous haïr. Y avait-il, au-dessus de nos têtes, un écran qui disait « FAITES LES GROS YEUX » plutôt qu'« APPLAUDISSEZ », comme dans les émissions télévisées ?

— Qu'est-ce qu'on nous reproche ? a soudain hurlé Wisty à l'intention du juge. Vous pourriez au moins nous le dire ! De quoi nous accuse-t-on ?

— Silence ! a vociféré le magistrat. Écoute bien, petite impertinente ! Tu représentes une grande menace à l'égard du bon et du bien. La police a elle-même été récemment témoin de tes pratiques dans le domaine des arts obscurs. Un nombre incommensurable d'enquêtes menées par l'Agence de la Sécurité du Nouvel Ordre ont corroboré ces faits, sans oublier, surtout, la prophétie qui les confirme elle aussi.

J'ai ouvert grande la bouche tandis que le jury, lui, approuvait par des hochements de tête.

— La prophétie ? me suis-je moqué. Je vous assure que ma sœur et moi ne sommes pas au courant. Arrêtez de délirer, Ezekiel !

Un halètement de surprise a éclaté dans l'assistance.

— Blasphème ! a protesté une femme dans un cri, le poing levé vers nous.

L'huissier s'est rué vers moi, sa matraque en main et j'ai feint une expression d'effroi, les sourcils arqués en pensant : *Je suis dans une cage, gros ballot. Les barreaux marchent dans les deux sens !*

Le juge Unger a poursuivi :

— Par conséquent, sur la base de ces preuves accablantes...

— Écoutez, peu importent les chefs d'accusation, on plaide non coupables ! ai-je déclaré à pleins poumons, les mains autour des barreaux pour les secouer de toutes mes forces, en dépit de menottes.

L'idée ne s'est pas révélée si bonne que ça.

Bam ! L'huissier a râtelé mes jointures de son bâton. Wisty, choquée, a laissé échapper un hoquet tandis que je parvenais péniblement à ravaler mon cri de douleur.

L'Élu qui Juge a bondi de sa chaise pour se coucher sur son bureau.

— Ça leur apprendra, à ces vauriens ! Bien joué, Monsieur l'huissier. C'est le seul moyen d'agir avec cette vermine. La baguette, c'est tout ce qu'ils comprennent ! Et tout ce qu'ils méritent ! a-t-il lancé, son haleine parvenant jusqu'à nous.

Son visage était moucheté de taches violet et blanc, ses yeux, exorbités.

— Qu'avez-vous à dire pour votre défense ? a-t-il hurlé de plus belle.

Abasourdis, Wisty et moi avons répondu d'une seule voix :

— Non coupables !

Le juge a détourné la tête.

— Messieurs les jurés, en adoptant une telle position, les accusés ne font que témoigner leur mépris envers votre volonté et la mission de ce tribunal. Ils se rient de nous. Ils défient les normes du glorieux Nouvel Ordre ! Je vous pose la question : quel est votre verdict ?

— C'est tout ? me suis-je révolté dans ma cage. C'est ça, notre procès ?

— Vous plaisantez, là ? s'est insurgée Wisty d'une voix tonitruante. Ce n'est pas juste !

Bam ! a retenti la matraque de l'huissier. Bam ! Bam ! Bam !

CHAPITRE 18

WHIT

Cette descente aux enfers allait si vite.

Dans les procès normaux et *légaux*, un juré se lève pour lire le verdict imprimé sur la feuille de papier qu'il tient d'une main tremblante. Seulement, ce procès était tout sauf normal et juste. Les membres du jury se contentaient de brandir leur poing en l'air. À tour de rôle, ils ont levé la main, le pouce renversé. Tous, un par un. Verdict unanime.

Naturellement, dans les vrais procès, on compte également sur la présence d'avocats et de principes juridiques tels que la présomption d'innocence. Mais pas dans le cas du Nouvel Ordre.

Le juge Unger a frappé son marteau de magistrat si fort que Wisty et moi avons fait un bond.

— Je vous déclare coupables des motifs d'accusation qui pesaient contre vous ! a-t-il braillé.

J'en ai eu le souffle coupé.

— Wisteria Allgood, tu es officiellement déclarée comme étant une sorcière en vertu des lois du Nouvel Ordre ! Toi, Whitford Allgood, aux yeux du Nouvel Ordre, je te déclare sorcier.

Avec Wisty, nous l'avons dévisagé, bouche bée. Il a marqué une pause, entretenant le suspense avant sa dernière réplique – la cerise sur le gâteau :

— Vous êtes tous les deux condamnés à être exécutés… par pendaison.

CHAPITRE 19

WISTY

Exécutés par pendaison ?

Je rêve.

Mes oreilles se sont mises à bourdonner.

Ce n'est pas possible autrement. Je suis en train de rêver. De cauchemarder plus exactement.

Je me sentais soudain oppressée, et tout, autour de moi, s'était paré d'une teinte verdâtre ; tout devenait flou, aussi.

C'est là que j'ai entendu la voix de Whit. On aurait dit qu'elle me parvenait depuis un long tunnel. Pour finir, il m'a secouée par l'épaule.

— Tiens bon, Wisty, m'a-t-il encouragée à voix basse. (Après un battement de paupières, son visage m'est apparu avec plus de netteté.) Je t'aime, p'tite sœur.

— J'ai hoché la tête. Whit ne se doutait peut-être pas qu'il était spécial, mais ses paroles et son contact m'ont insufflé une force absolument magique. Je pouvais à nouveau respirer.

— Je t'aime aussi, ai-je chuchoté. Plus que jamais.

Après une longue inspiration, je me suis préparée à ce que le juge Unger avait à dire ensuite.

— Malheureusement, on ne peut procéder à l'exécution de détenus mineurs.

Mes oreilles ont recommencé à bourdonner, ma vue à se brouiller.

Whit aurait dix-huit ans dans moins d'un mois !

Je m'étonnais de ne pas m'être déjà transformée en torche vivante ni de lancer des éclairs à cet instant. Cela me démangeait tellement de frapper ce juge que j'en avais mal.

— Pour cette raison, vous serez tous deux placés en détention à l'établissement pénitentiaire de l'État, a-t-il poursuivi avec sérieux, avant de sourire et d'ajouter : pour le moment… (Il a effectué un mouvement de tête à l'intention de l'huissier, dans la salle.) Qu'on les ôte de ma vue !

Les gardes nous ont extraits de la cage. Avec une *certaine* maladresse, ajouterais-je, étant donné que Whit se débattait tel un animal enragé.

— Vous commettez une grossière erreur ! a-t-il hurlé. Vous êtes complètement fous ! Vous serez radié du barreau. Ce n'est pas légal !

— Silence, sorcier ! a tempêté le juge avant de lancer son marteau à la figure de mon frère.

Ce dernier a levé ses mains menottées et là…

Le marteau est resté suspendu dans les airs pendant cinq bonnes secondes à une quinzaine de centimètres, tout au plus, du visage de Whit, puis il est retombé violemment au sol.

La salle est restée plongée dans un silence de mort pendant quelques instants. Ensuite, la zizanie est revenue et des voix furieuses se sont élevées :

— À bas les sorciers ! Tuez-les !

CHAPITRE 20

WISTY

Les cris et les sarcasmes qui faisaient rage dans la salle d'audience nous ont accablés, Whit et moi, alors qu'on nous tirait, qu'on nous bousculait, qu'on nous ballottait sans douceur de tous côtés jusqu'à un couloir long et étroit, parmi une foule de parfaits inconnus animés d'une seule et même envie : voir notre sang couler.

Quel meilleur moyen de perdre foi en l'humanité ?

Quelques jours plus tôt, il me semblait que la pire chose qui puisse m'arriver était de me réveiller le jour de la photo de classe avec un spot sur le front, digne de figurer dans le *Livre Guinness des records*. Comment mon quotidien avait-il pu basculer aussi radicalement et d'une façon si étrange en l'espace d'aussi peu de temps ? Mon frère et moi venions d'être condamnés à mort !

Le mot « exécution » continuait à résonner, de plus en plus horrible, dans ma tête, me plongeant dans un état d'abrutissement dont je n'ai même pas émergé au moment où on nous jetait, Whit et moi, dans une autre camionnette.

J'ai repensé à toutes les personnes exécutées ou assassinées par le passé et dont j'avais entendu parler en cours d'histoire. Je suis arrivée à une dizaine de noms – tous, cependant, étaient des leaders politiques ou religieux. Tandis que je n'étais que Wisteria Allgood. Je n'avais pas le pouvoir d'effrayer les gens, si ? Je n'étais ni une héroïne, ni une prophétesse, ni une sainte, ni une dirigeante de quelque sorte que ce soit. Tout cela n'avait aucun sens.

Une autre pensée m'est subitement apparue. Sidérante. Elle m'a fait changer d'avis à propos de la pire chose qui puisse m'arriver.

Nous roulions à travers la ville dans la camionnette dont les gaz d'échappement empestaient. Les visages plaqués à la minuscule vitre, nous nourrissions l'espoir d'apercevoir un rayon de soleil à défaut de mieux. Les rues défilaient sous nos yeux, couvertes de soldats. Des soldats par milliers.

Jusqu'à ce que nous repérions une nouvelle affiche que des travailleurs étaient en train de placarder :

RECHERCHÉS POUR TRAHISON ET PRATIQUES ILLÉGALES EN MATIÈRE D'ARTS OBSCURS

Sous ce texte, des photos noir et blanc de nos parents.

Juste avant... le couperet :

MORTS OU VIFS

— Ils se sont échappés, a murmuré Whit. Ils sont là, quelque part. On va les trouver, tu verras.

DEUXIÈME PARTIE

COMME DANS UN ROMAN DE DICKENS

CHAPITRE 21

WISTY

Lorsque la camionnette noire et hideuse du Nouvel Ordre s'est finalement arrêtée, la pluie tombait drue dehors et le vent soufflait fort. Nous étions garés au pied d'un imposant bâtiment avec de hauts murs en pierres noircies par la suie à l'instar des locaux d'une usine désaffectée. Grâce aux marques qui restaient, au-dessus de l'entrée, on pouvait encore lire l'ancienne inscription en lettres d'une trentaine de centimètres : « Établissement de soins psychiatriques de l'État de Bowen ».

L'espace d'un instant, j'ai eu l'impression que ce mauvais rêve pouvait en réalité s'expliquer. *Et voilà !* ai-je imaginé avec un soupçon d'espoir. *Je souffre d'une psychose ! Tout ce qui vient de se passer est en vérité une succession de délires psychotiques.*

Cela expliquerait le feu... l'étrange et improbable apparition de Byron Swain... la condamnation à mort pour sorcellerie.

Je vais pouvoir être bien soignée ici, entourée de bons médecins. Les parents viendront me chercher quand j'irai mieux et tout rentrera dans l'ordre. Une simple psychose. C'est tout. Ce n'est pas la fin du monde.

J'ai souri malgré moi à cette pensée. Whit m'a adressé un regard, l'air de dire « Ça ne tourne pas rond, là-dedans ? », ce qui corroborait – je l'espérais – mes soupçons.

— Qu'est-ce qui te prend ? C'est quoi ce petit sourire en coin alors qu'on dirait l'enfer sur Terre ici ? a-t-il terminé en grimaçant.

— À quoi d'autre t'attendais-tu ? ai-je soulevé avec un gloussement. Un intérieur confortable et chaleureux ?

On nous a tirés hors du camion, puis entre les murs de pierre.

— Dépêche ! m'a ordonné le garde en m'enfonçant sa matraque dans le dos pour me pousser dans un vaste couloir sombre.

À son extrémité, une lumière fluorescente vacillait. La lumière au bout du tunnel ? J'en doutais sérieusement.

— C'est ici qu'on va me soigner ? me suis-je risquée à l'interroger. Quand suis-je censée rencontrer mon médecin ?

Whit a tendu le cou pour me décocher un nouveau regard incrédule.

— Tu es dans une des nouvelles prisons du Nouvel Ordre, gamine, a déclaré l'un des vigiles sur un ton à la fois bourru et nerveux. Réservée aux dangereux criminels, comme vous deux.

On nous a menés avec la même brutalité dans un escalier plongé dans la pénombre, exception faite du faisceau de lumière qui filtrait sous la porte chaque fois qu'on parvenait à hauteur d'un palier. Mes jambes flageolaient, un effet probable de notre jeûne total depuis le début de ce cauchemar. Les gardes nous ont escortés au pas dans les marches jusqu'à ce que, épuisée, je cesse de compter le nombre d'étages.

Pour finir, nous avons pénétré dans un autre couloir sombre où j'ai aperçu un genre de local pour infirmières. À l'intérieur, une femme était avachie sur un bureau, absorbée par sa lecture d'un exemplaire du magazine *L'Administrateur du Nouvel Ordre*. Elle devait être incroyablement grande car, bien qu'assise, elle est parvenue à me toiser de haut.

— Oui ? a-t-elle demandé d'une voix de fumeuse. Je peux savoir pour quelle raison vous me dérangez ?

Elle a planté ses iris foncés, sans blanc, dans les miens. Son nez était crochu et sur son menton ressortait un énorme grain de beauté où poussaient des poils noirs rêches. Voilà un spécimen qui aurait dû intéresser les chasseurs de sorcières du Nouvel Ordre…

— On vous amène deux autres dégénérés, Matrone, a annoncé l'un des gardes. Un sorcier et une sorcière.

Mon cœur s'est serré : ma courte théorie quant à une psychose venait officiellement de prendre fin.

C'est lorsqu'on meurt d'envie d'être interné, drogué ou soumis à des électrochocs qu'on se rend compte qu'on a touché le fond. J'en étais même parvenue à un point où j'aurais accepté une lobotomie. Je suppose que c'est inévitable lorsqu'on ne peut même plus caresser l'espoir de recouvrer sa liberté.

La lobotomie ou la mort, mais pas d'entre-deux !

CHAPITRE 22

WHIT

— À croire que la police passe son temps à fouiller toutes les décharges du pays, a grondé la femme. Avec toutes ces pommes pourries qu'on me ramène !

À la lumière de cette nouvelle métaphore, je dirais que nous étions tombés, ma sœur et moi, un peu plus bas encore. Mais c'était Wisty qui m'inquiétait le plus : elle avait les yeux vitreux.

L'infirmière a pivoté sur sa chaise à l'opposé de nous afin de saisir une pile de dossiers sur le bureau, derrière elle. Une queue-de-cheval épaisse et huileuse descendait le long de son uniforme blanc de soignante à la manière d'une forêt d'algues ou encore... d'une anguille morte.

— Oui, m'dame, a confirmé le garde. Des pommes pourries, c'est le mot. Et encore, il est un peu faible si vous voulez mon avis.

— Je ne vous ai rien demandé ! l'a rembarré la femme.

L'homme s'est recroquevillé sur lui-même, la tête rentrée dans les épaules à la façon des chiens en jouets qu'on voit sur les plages arrière des voitures.

L'infirmière s'est alors hissée sur ses jambes immenses en poussant un redoutable grognement.

— Vous savez pourquoi vous êtes ici plutôt que dans une prison pour femmelettes ?

— Non, chef, ai-je rétorqué avant de me racler la gorge.

— On fait le malin. (Elle a plissé les yeux, devenus deux fentes menaçantes.) C'est un endroit dangereux. Pour dangereux criminels. Mais n'oubliez pas que vos petites farces ne marcheront pas ici, mes jolis !

Je rêvais ou elle venait de nous appeler ses « jolis » ? Il y avait peut-être finalement une raison à mon internement en hôpital psychiatrique.

— Le Nouvel Ordre a protégé cet endroit contre les sortilèges, a-t-elle jubilé. (Là, son expression a changé et elle s'est mise à marmonner pour elle-même.) N'empêche, je me demande ce qu'ils croient que je vais faire avec toute cette vermine, moi, si ça continue comme ça !

La Matrone nous a escortés jusqu'à une porte massive en bois, dans le couloir, percée d'une fenêtre en verre armé. Elle l'a déverrouillée et les gardes nous ont violemment poussés par l'ouverture. Ils ont retiré nos chaînes et balancé par terre, près de nous, le peu qui constituait nos effets personnels – une baguette et un livre vierge.

— Bienvenue dans le couloir de la mort, a conclu la femme en claquant la porte derrière elle avant de nous enfermer à double tour.

CHAPITRE 23

___

WISTY

— Un peu flippant, pas vrai ? ai-je commenté comme si l'endroit n'était rien de plus que le manoir hanté d'un parc d'attractions.

— Pas autant que *toi*, je dirais. Désolé de te l'annoncer aussi froidement, sœurette, mais tu... tu flamboies.

Je flamboyais ? Ça ne tenait pas debout. Vraiment pas !

— Hein ? Qu'est-ce que tu veux dire ?

— Qu'est-ce que tu ne comprends pas dans ma phrase ? C'est pourtant clair, non ?

— Non, j'ai du mal avec le verbe « flamboyer ». Comment...

En baissant les yeux, je me suis aperçue que ma peau, mes vêtements et une enveloppe d'un centimètre d'épaisseur environ autour de moi étaient parés d'une lumière verte, si pâle, cependant, que l'on voyait sans peine à travers.

— Tu as joué avec des déchets toxiques dernièrement ? m'a interrogée Whit le plus sérieusement du monde.

J'ai tendu une main tremblante pour l'examiner, mais la lumière a fini par être tellement aveuglante que j'ai dû détourner les yeux. Elle a illuminé toute la pièce – les fentes sombres et pleines de crasses, les piles de déchets médicaux, les bassins hygiéniques, les trous dans les plinthes où pouvaient facilement se glisser des rats.

— Arf ! a grimacé Whit. Rends-moi service, tourne le bouton halogène.

— Je ne suis pas sûre de pouvoir, ai-je répondu d'une voix mal assurée.

Si l'on omet mon prénom hippie, j'avais plus ou moins réussi à rentrer dans le moule toute ma vie. Je n'avais jamais porté les vieux vêtements affreux d'une grande sœur ; jamais on ne m'avait choisie en dernier pour faire partie d'une équipe en cours de sport, à l'école ; jamais traitée de triples foyers, de Tcherno-byl à cause d'un appareil dentaire ou de grosse vache. Et pourtant, j'étais désormais devenue une zarbie de première : sorcière, lanceuse de flammes et radioac-tive.

Il y a plus réjouissant comme nouvelle quand on a quinze ans.

Les larmes me sont soudain montées aux yeux : mes parents me manquaient atrocement.

— Maman ? Papa ? ai-je sangloté.

L'écho de ces paroles a attisé ma douleur.

Whit a recommencé à me couver de son regard inquiet.

— Wisty…

— Chh… ai-je soufflé, en larmes. Maman… m'a *tout* raconté, Whit. Elle m'a parlé des relations sexuelles bien avant que les parents de mes copines le fassent. Elle m'a expliqué comment papa et elle s'étaient rencontrés. Super romantique. Quant à papa, il m'a confié ses expériences les plus embarrassantes à l'école et aussi qu'il était extrêmement fier de toi, de moi. Il n'avait jamais honte de nous dire « Je vous aime » comme les autres pères. (J'ai sangloté de plus belle.) Alors pourquoi ils ne nous ont pas parlé de *ça* ?

Mon frère s'est approché et m'a prise dans ses bras pour nous serrer fort, mon halo vert et moi.

— Et tu sais le pire, Whit ? C'est que, si ça se trouve… ils m'en ont parlé, en fait… sauf que je n'écoutais pas.

Là, un torrent ininterrompu de larmes s'est déversé sur mes joues, trempant l'uniforme de mon frère. Il m'a étreinte jusqu'à ce que nous nous endormions tous les deux et que mon halo se dissipe.

CHAPITRE 24

WHIT

Ouah !

Celia est venue me rendre visite cette nuit-là ou, en tout cas, pendant ces premières heures de tourment dans la nouvelle prison. J'avais un peu perdu la notion du temps ; et il n'y avait pas que lui qui m'échappait, à dire vrai.

— Salut, Whit. Tu m'as manqué, a dit Celia comme elle en avait l'habitude, sauf que cette fois, elle avait ajouté un clin d'œil. J'ai beaucoup pensé à toi. Comment c'était avant. Les jours heureux. Notre premier rendez-vous. Tu portais une chemise de bowling toute froissée : ta préférée, la *Alley Cat*. Tu te rappelles ?

Évidemment que je m'en souvenais.

Celia, oh Celia. Que se passe-t-il ? Ai-je perdu la raison ? C'est pour cela qu'on m'a enfermé chez les fous ?

— Cel, écoute, il faut que je te pose une question : où étais-tu passée tout ce temps ? Je t'en supplie, dis-moi ce qui t'est arrivé ; sinon, je vais devenir complètement dingue.

Étonnamment – surtout si l'on considère que j'étais en train de rêver –, Celia a tendu le bras et m'a touché.

Le contact de sa peau m'a apaisé. Elle avait la douceur de la Celia que je connaissais, son apparence aussi… Enfin, elle souriait de la même façon.

— Je te promets de tout te raconter, Whit. Crois-moi, j'en meurs d'envie.

— Merci. (J'ai poussé un énorme soupir.) Merci.

— Mais pas maintenant. Quand je te verrai en personne. En chair et en os plutôt que dans un rêve. Seulement, on doit faire bien attention : Le Seul-L'Unique nous épie.

Je ne pouvais me résoudre à laisser Celia disparaître à nouveau. Je l'ai serrée ardemment contre moi et j'ai insisté à nouveau pour qu'elle me donne une explication rationnelle à sa disparition.

Alors, elle a reculé mais juste assez pour pouvoir me fixer dans les yeux. C'était tellement bon de pouvoir la couver à nouveau du regard. Nos iris étaient de la même couleur – bleu. Nos copains plaisantaient au sujet des enfants que nous aurions un jour, tous les deux.

— Voici tout ce que je peux te dire pour l'instant, Whit : il existe une prophétie. Elle est écrite sur un mur, dans le futur. Découvre-la et ne l'oublie jamais. Tu y participes ; tu as un rôle à jouer pour diriger le monde. C'est la raison pour laquelle le Nouvel Ordre a autant peur de Wisteria et toi.

Je n'avais même pas encore assimilé cette information majeure que, déjà, elle poursuivait, après une petite inspiration :

— Whit, je ne peux pas rester plus longtemps. Je t'aime. Pense à moi, s'il te plaît.

— Je t'en prie : ne pars pas ! Je ne veux pas revivre ça ! Celia ?

Trop tard. Étrangement, je pouvais toutefois entendre encore sa voix :

— On se reverra, Whit. Tu me manques déjà. Ne m'oublie pas. Je t'en supplie : pense à moi.

CHAPITRE 25

WISTY

Ce matin-là, Whit et moi avons été réveillés par des petits coups. Ceux d'un bâton ou d'une canne, peut-être. Mon cœur a démarré au quart de tour tandis que Whit, lui, émergeait difficilement d'un profond sommeil. Il avait l'air groggy et désorienté.

— Celia, a-t-il marmonné.

Je me suis éloignée de lui. J'adorais mon frère mais le moment était mal venu pour une séquence romantisme avec erreur sur la personne.

— Non, c'est ta sœur et, pour ton info, on est dans un chaleureux foyer pour barjots, ai-je expliqué en lui donnant une légère tape. Réveille-toi ! J'ai besoin de toi, moi !

Tout doucement, la poignée de porte a tourné et j'ai retenu ma respiration. Quand Whit a enfin montré des signes qu'il reprenait ses repères, la porte était déjà entrouverte de plusieurs centimètres mais je ne voyais rien de plus que l'obscurité, dans le couloir, de l'autre côté.

Une voix froide et dure s'est fait entendre, derrière :

— Merci, Matrone. (Rien qu'à entendre le ton glacial, mon cœur a failli s'arrêter de battre.) Si vous n'y voyez pas d'inconvénient, je vais prendre le relais.

— Soyez prudent, a répondu la femme. Ce sont des diables : de vrais poisons !

— Merci de me prévenir, mais je pense que ça devrait aller.

La porte s'est entrebâillée davantage et une immense silhouette a pénétré dans notre cellule.

On aurait dit la Faucheuse, mais en habits des temps modernes. Son costume gris foncé donnait l'impression d'habiller un mannequin fabriqué à partir de cintres métalliques. Son teint affichait une pâleur fantomatique et elle semblait en aussi bonne santé qu'une plante enfermée dans un placard à balai... depuis des années.

J'ai instinctivement reculé. Mais alors, comme un serpent qui attaque, une cravache en cuir noir a fendu l'air dans un sifflement et m'a violemment fouettée.

— Hé !

La brûlure était si cuisante qu'elle paraissait tantôt glacée, tantôt bouillante. J'ai poussé un halètement et plaqué la main sur ma poitrine.

— C'est fini, sorcière, a proclamé le personnage macabre. Tu ne contrôleras plus les gens et les objets avec tes pouvoirs maléfiques. J'y veillerai à partir de maintenant. Tu vas me voir souvent : on m'appelle le Visiteur.

CHAPITRE 26

WHIT

Quand ce malade mental doublé d'une sale brute lâche a fouetté Wisty, j'ai failli me jeter sur lui, prêt à me battre jusqu'à la mort s'il le fallait. Personne n'a le droit de lever la main sur ma sœur.

Wisty a fixé l'inconnu sans ciller ni desserrer ses mâchoires tendues.

De mon côté, je foudroyais du regard ce pseudo-visiteur et tentais d'attirer son attention par la même occasion.

— Laissez-moi deviner : enfant, vous vous sentiez rejeté. Personne ne vous témoignait d'affection. En grandissant, cela ne s'est pas arrangé. Dommage pour vous mais on s'en fout !

Pac ! La cravache m'a arraché un hoquet de surprise alors qu'elle me fouettait au visage et l'entaillait. La douleur était terrible, comme si on m'avait marqué au fer chauffé à blanc. Le sang coulait le long de ma joue.

— C'est ta première journée à l'hôpital, sorcier, a commencé le Visiteur, et je vais donc redoubler de patience et de gentillesse à ton égard, mais je t'interdis de me parler de nouveau sur ce ton, à moi ou à la Matrone, car nous sommes les derniers remparts qui te protègent d'un destin bien pire encore que la mort.

— Vous voulez dire qu'il y a pire que de se faire kidnapper en pleine nuit, emprisonner, condamner à mort par un pseudo-juré et enfermer avec deux sadiques dans un asile désaffecté ?

— Tu as fini ? a demandé l'autre avec calme.

J'ai haussé les épaules, réfléchissant à ce que je pourrais bien dire ensuite, lorsque la cravache a resurgi de nulle part pour me frapper à l'oreille gauche, puis la droite et, enfin, au bout du menton.

— Oui ! Bien pire, a promis le Visiteur. Ton dossier indique que tu ne brilles pas par ton génie. Quoi qu'il en soit, tu gagneras à apprendre ceci…

Après un soupir, il a englobé d'un grand geste la pièce, humide, froide et rebutante, et soufflé :

— Je te présente ton nouveau chez-toi. L'endroit est gardé par des hommes armés et des caméras de surveillance ; son périmètre est soumis à une protection électronique et sécurisé par de multiples dispositifs fatals secrets. Sachez également que vous ne risquez pas de contourner ce système en usant de vos tours de sorciers. Tout le bâtiment est traité afin que votre énergie et vos pouvoirs soient neutralisés. En résumé, à l'instant où vous avez passé la porte, vous êtes devenus deux êtres des plus ordinaires.

Wisty et moi avons échangé un regard en référence au fameux halo vert. J'aurais juré qu'on lisait

dans les pensées l'un de l'autre parfois, surtout dernièrement.

— Quant à cette chambre, je vous informe que
votre unique fenêtre donnant sur l'extérieur est exposée plein ouest : vous y aurez une vue imprenable sur le
trou noir d'un conduit d'aération, dont le fond est
composé d'une turbine capable de réduire une baleine
bleue entière en chair à pâté en moins de dix secondes.
Ne vous gênez pas pour nous si l'envie vous prend d'y
sauter la tête la première.

Il a poursuivi sa tirade à la façon du concierge d'un
hôtel décrivant la plus belle suite.

— Vous disposez également d'une salle de bains
semi-privative équipée de toutes les commodités, y
compris un papier toilette si léger que vous jurerez
qu'il n'existe pas.

J'ai jeté un œil en direction du coin toilette : sans
porte, il consistait en des W-C à la turque, entourés de
poussière et de morceaux de plâtre tombés à terre. J'ai
constaté qu'en effet, le papier manquait.

Le visiteur a penché la tête pour nous toiser par-dessus
son long nez crochu.

— Je reviendrai régulièrement pour faire le point
sur vous, a-t-il promis d'une voix d'outre-tombe.
Au moindre écart de conduite... eh bien... (Il a
souri et, comparé à lui, un crocodile aurait paru
sympathique.) je vous infligerai personnellement
votre châtiment.

Chlic ! La cravache, une fois de plus, a fendu l'air et raté mon œil de justesse.

— À *très* bientôt… Comptez sur moi !

Sur ce, il a quitté la pièce et verrouillé la porte.

— Je ne compte pas m'en faire un ami, a commenté Wisty. Toi oui ?

CHAPITRE 27

WHIT

Wisty a ensuite résumé notre situation avec sa désinvolture habituelle :

— Ça craint !

J'ai réfléchi quelques instants. Entre nos multiples bleus, nos bosses, nos entailles, nos brûlures, nos plaies et nos vêtements déchirés, nous donnions l'impression d'avoir affronté un glouton dans une cage.

Sans oublier qu'il ne me restait plus qu'un mois à vivre.

— Avec ton optimisme, tu es encore en deçà de la réalité, ai-je répliqué. Il faut toujours que tu voies du positif dans tout, n'est-ce pas ?

J'ai parcouru la pièce et tenté de cesser de focaliser sur la douleur de mes blessures cuisantes. Seulement, j'avais du mal à me concentrer sur autre chose que des hamburgers juteux... des milk-shakes vanille et chocolat... et des frites recouvertes de fromage fondu dont la représentation mentale m'était difficilement supportable. Jamais je n'avais eu si faim de toute ma vie.

Là, j'ai remarqué que les lèvres de Wisty, qui était assise sur le lit, bougeaient sans produire le moindre son.

— Tu te mets à te parler à toi-même, ça y est ?

— Pourquoi pas ? On est dans un asile, après tout. (Elle a esquissé un sourire, la mine penaude.) En réalité, si tu veux vraiment le savoir, je réfléchissais à une formule d'incantation. Pour nous faire sortir d'ici, tu vois ? Si je suis une sorcière, je devrais pouvoir proclamer « abracadabra » et faire sauter la porte, non ?

— Ils ont dit qu'on n'avait aucun pouvoir ici. Tu n'as pas entendu L'Élu avec son joujou le Fouet ?

— Ah oui ? Alors d'après toi, mon petit épisode de radioactivité n'était qu'un rêve ?

— D'accord, vous avez gagné, Madame Luciole, ai-je concédé. Tu crois qu'« abracadabra » va marcher ? Vas-y !

Elle a agité ses mains en direction de la porte et crié :

— Abracadabra !

Clic. Elle s'est ouverte sur-le-champ.

CHAPITRE 28

WHIT

— Venez ici. Tous les deux ! (Le corps de l'abominable maîtresse des lieux bouchait toute la surface de l'encadrement de la porte.) Suivez-moi, bande de vauriens. Je suppose qu'il est temps que je vous montre comment aller chercher à manger et à boire.

Dans le creux de ses paumes démesurées, la femme tenait deux seaux en plastique cabossés ; elle nous les a jetés au visage. Ça ne sentait pas bon – question de prémonition. Pourtant, j'aurais fait n'importe quoi pour une gorgée d'eau. L'évier de notre chambre ne fonctionnait pas et, au fond des toilettes, on ne pouvait pas vraiment parler d'eau potable.

Nous avons ramassé chacun notre seau et suivi la Matrone alors qu'elle martelait le couloir sombre de son pas lourd sur fond sonore du cliquetis de ses clés. Elle portait de grosses chaussures blanches dans lesquelles ses pieds de géante étaient saucissonnés.

J'ai détecté des bruits, plus loin ; on aurait dit des animaux : grognements, rugissements et pleurs, tous aussi assourdissants les uns que les autres.

— Qu'est-ce c'est ? a demandé Wisty d'une voix rauque. Qu'est-ce qui va encore nous tomber dessus ?

La femme a indiqué l'extrémité du couloir.

— Là-bas, tout au fond, vous trouverez à boire et à manger. Servez-vous de vos seaux. (Elle a baissé le nez sur son énorme montre au bracelet en acier.) Vous avez quatre minutes. Si vous n'êtes pas revenus d'ici là... (Elle nous a jaugés de ses yeux noirs luisants et sa bouche s'est étirée dans une grimace horrible – un sourire vil.) Alors je saurai que vous êtes passés de l'autre côté de la barrière. Dans la douleur.

Après une volte-face, elle a rejoint son bureau, à une cinquantaine de mètres dans la direction opposée, son pas toujours aussi pesant, à l'écho retentissant.

— Bonne chance, a-t-elle lancé pour conclure.

Ma paume était déjà moite, là où je tenais l'anse de mon seau. Devant nous se succédaient des animaux que j'identifiais comme appartenant à l'espèce canine. Des chiens enragés ? Des loups ? Des hyènes au pelage noir ? L'air affamé, féroce et dangereux, ils étaient enchaînés aux murs sur toute la longueur du couloir.

Sans savoir comment, il nous faudrait les dépasser dans un sens puis dans l'autre en quatre petites minutes... si nous voulions trouver de quoi nous nourrir.

Si nous tenions à la vie, autrement dit.

CHAPITRE 29

WISTY

Il faut être passé soi-même à un cheveu de la mort pour savoir qu'on peut penser aux choses les plus prosaïques dans ces cas-là. Juste avant de risquer ma vie au contact de ces animaux sauvages, je me suis souvenue d'une chienne super méchante qui habitait dans notre quartier autrefois. Quand j'étais petite, les copains avec qui je faisais du vélo et moi, nous empruntions toujours le trottoir d'en face parce qu'elle avait tellement l'air mauvaise que nous redoutions qu'elle ne s'échappe et nous morde les fesses.

La chienne, un shih tzu, s'appelait Princesse. Comparée aux espèces d'ici, elle me rappelait à présent un nounours en peluche que j'aurais pu habiller avec des vêtements de poupée pour jouer à la dînette.

— Ce sont des chiens d'après toi ? m'a interrogée Whit alors que nous avancions dans le couloir. Ou des loups ?

— Je dirais des chiens de l'enfer.

— Tu crois que tu pourrais recommencer à jeter des flammes si nécessaire ? a chuchoté mon frère.

— Sur commande, je n'y arrive pas, ai-je répondu avec frustration, d'une voix éraillée. Tu penses bien que j'ai essayé !

— Bon, eh bien je me dévoue, a décidé Whit sur le même ton.

Il a vidé l'air de ses poumons.

— Non, ai-je sifflé. Je suis moins grande et plus rapide.

Avant d'avoir eu le temps de trancher, nous avons aperçu une silhouette floue, de petite taille, au bout du couloir. Elle portait un seau elle aussi.

— C'est qui ? ai-je marmonné.

Pas le temps de trouver réponse à la question : la personne s'est soudain précipitée dans notre direction, bondissant, esquivant les coups et manquant à plusieurs reprises de s'écraser contre le mur. À une dizaine de mètres de nous environ, elle a brusquement trébuché, tombant face contre terre.

Une partie de la meute lui est aussitôt tombée dessus dans une cacophonie de grondements et de coups de crocs. La scène m'a coupé le souffle.

— Je vais l'aider, a déclaré Whit qui s'élançait déjà vers la pauvre victime.

Pourtant, très vite, la petite forme s'est redressée dans un bond, son seau en main, et elle s'est pressée dans notre direction. Je n'arrivais toujours pas à savoir si c'était une fille ou un garçon ; tout ce dont j'étais sûre, c'est qu'il s'agissait d'un enfant, de cinq ou peut-être six ans plus jeune que moi. Du sang mouillait sa chevelure et son tee-shirt déchiré. Nous nous sommes plaqués au mur au moment où il nous dépassait, en trombe, avant de s'écrouler sur le sol crasseux, dos au mur, en boule, ses épaules et sa tête secouées de tremblements.

Le seau, tombé en même temps que l'enfant, était désormais vide, la meute ayant dévoré tous les vivres pour lesquels il avait risqué sa vie.

Pleurant en silence, la silhouette recroquevillée sur elle-même a saisi le récipient et clopiné jusqu'à une porte, à quelques mètres de là, par laquelle elle s'est engouffrée.

Whit et moi, choqués, bouches bées, ne pouvions détacher le regard de la porte.

La Matrone s'est contentée de consulter brièvement le cadran de sa montre.

— Cinquante-sept secondes, nous a-t-elle informés : le compteur tourne.

CHAPITRE 30

WHIT

Vous avez déjà tenté de penser à voix haute ? Cela peut paraître paradoxal, et, pourtant, aux grands maux les grands remèdes lorsqu'on doit faire abstraction des grognements féroces et des claquements de mâchoires qui vous entourent.

Intérieurement, je hurlais à tue-tête alors que je remontais le couloir à toutes jambes, nos seaux en main. Je me répétais : « Imagine que tu t'apprêtes à marquer le but final au championnat régional de football américain. Cours, cours ! »

Argh ! Je me suis pris les pieds et j'ai perdu l'équilibre mais me suis rattrapé au dernier moment, et j'ai poursuivi ma course, non pas pour le championnat régional, ai-je rectifié mentalement, mais pour le championnat du monde !

— On a gagné, on a gagné ! ai-je tonitrué, l'air stupide, priant pour ne jamais avoir à avouer à Wisty que, de temps en temps, c'est ce que je me criais en pensée lors de mes compétitions, histoire de me préparer psychologiquement et de m'encourager à croire que j'étais le jeune Américain parfait que tout le monde voyait en moi.

Cela pouvait sembler ridicule au milieu d'un sprint pour échapper à des chiens fous, mais cela fonctionnait. Sans savoir comment, j'ai réussi à rejoindre l'extrémité du couloir avec une ou deux morsures seulement. Je me suis retourné, levant mon pouce à l'intention de ma sœur, juste avant de passer une porte d'un pas mal assuré.

Là, je me suis figé sur place.

La pièce, plongée dans la pénombre, paraissait vide. Était-ce un petit jeu de l'infirmière en chef pour nous piéger ? Dans ce cas, elle avait sans conteste gagné. Bravo !

L'espace d'une seconde, je me suis senti plus vulnérable que jamais. Je m'attendais à tout moment à ce qu'une bête enragée, canine ou lupine, surgisse de nulle part et me saute au visage.

Lentement, mes yeux se sont cependant habitués à l'obscurité et j'ai fini par repérer deux objets en forme d'abreuvoir contre un mur. La Matrone n'avait pas menti, tout compte fait. Incroyable ! Je me suis pressé d'aller remplir nos seaux, à grosses poignées, d'une espèce de bouillie d'avoine et d'eau tiède.

Dans mon élan d'enthousiasme, j'ai trempé mon visage dans le liquide saumâtre pour boire à grandes lampées. Sentir l'eau sur ma peau m'a redonné de l'énergie.

Les seaux calés contre ma poitrine, je suis sorti de la pièce en un éclair et j'ai continué sur ma lancée en direction de ma sœur qui sautait sur place, telle une pom-pom girl surexcitée.

— Allez, les chiens ! criait-elle pour couvrir le vacarme de leurs aboiements. Gentils petits ! Laissez-le passer. Soyez sympa, les pitous. Vas-y, Whit ! Fonce !

Au même instant, j'ai senti des crocs s'enfoncer dans mon pantalon.

J'ai heurté la cloison d'un mur mais je suis resté concentré. *On a gagné, on a gagné, on a gagné !* ai-je entonné dans ma tête en repartant à toute allure parmi les bêtes énervées.

Voir le visage de Wisty m'a donné l'énergie dont j'avais besoin pour les derniers mètres. Je me suis jeté dans ses bras ou presque et elle m'a serré fort.

— Génial ! Tu as été génial, Whit !

L'infirmière se dirigeait vers nous à grands pas, nous mettant en joue avec son pistolet.

— Tricheurs ! a-t-elle crié.

Tricheurs ? Sans prévenir, elle m'a frappé.

Abasourdi, je suis tombé à terre et les seaux ont roulé loin de moi.

— Quatre minutes et six secondes ! a-t-elle vociféré. Vous n'aurez rien à manger ni à boire.

Elle a saisi violemment les seaux tandis que je gisais au sol, la bave au coin des lèvres.

CHAPITRE 31

WHIT

Au fil des jours, ma sœur et moi sommes parvenus à échapper à la mort par déshydratation grâce à une source d'eau qui tombait au goutte-à-goutte de l'autre côté de la fenêtre du conduit d'aération. Nous espérions qu'il s'agissait d'eau de pluie ou de condensation. Au moyen d'un fil métallique, nous récoltions les gouttes qui tombaient jusqu'à un verre en papier que nous avions déniché et défroissé. Nous buvions quelques gorgées toutes les trois ou quatre heures. Le goût en était horrible – semblable à du plâtre – mais sans cela, nous serions morts.

Tous nos repères étaient chamboulés. La semaine d'avant, je qualifiais de « mauvaises journées » les jours où je me faisais prendre pour ne pas avoir fait mes devoirs de trigonométrie, ce qui me valait deux heures de retenue en compagnie d'une partie de mes meilleurs potes.

Cette semaine, dans le contexte de ce trou déprimant, mon manuel de trigonométrie m'aurait donné l'impression de feuilleter l'*Encyclopédie des voitures de course*.

Un après-midi, étendu sur mon matelas, à penser à Celia, espérant de tout mon cœur qu'elle reviendrait – même si c'était dans un autre rêve seulement – j'ai soudain entendu ma sœur crier :

— Whit ! Whit ! Whit ! Regarde-moi ! S'il te plaît ! Whitford !

La voix de ma sœur m'a ramené au présent malgré moi. Je n'ai toutefois pas ouvert les paupières, cherchant à replonger dans ma rêverie.

— Whit ! (De sa stupide baguette, elle m'a tapé la jambe.) Ouvre les yeux ! Tout de suite !

— Aïe ! Qu'est-ce qu'il y a de si important ? ai-je râlé en me redressant pour lui arracher le bâton des mains. Le livreur de pizza est arrivé ?

Ma sœur, debout face à moi, tenait le journal que mon père m'avait donné ce soir-là.

— Regarde un peu ça ! a-t-elle dit en agitant le vieux bouquin sous mon nez.

Je me suis exécuté et en ai examiné la couverture poussiéreuse. Je ne voyais aucune différence.

— Et alors ? Il est aussi vieux, moisi et inutile qu'avant.

— Prends la peine de le feuilleter, Whit. Allez... Pour me faire plaisir.

C'est alors qu'un truc inimaginable s'est produit. Sous mes yeux, les pages du journal se sont couvertes de mots, de photos, d'illustrations et d'une écriture manuscrite qui ressemblait à celle de mon père.

— La vache... (J'ai bondi sur mes pieds.) C'est le prochain volume de la série des Percival Johnson : il n'est pas censé sortir avant l'année prochaine. C'est fascinant. *Le Voleur de tonnerre* figurait parmi mes bouquins préférés.

— Quoi ? a relevé Wisty. J'ai l'impression que tu ne vois pas la même que moi.

J'ai tourné les pages.

— Pas possible ! (J'ai continué à feuilleter.) *L'Encyclopédie des voitures de course* !

— Une seconde. Ce n'est pas ce que j'ai vu ! (Wisty m'a repris le livre des mains.) Mais non, c'est *L'Histoire mondiale de l'art*. Avec des reproductions de mes peintres préférés : Pepe Pompano et Margie O'Greeffe. Et tous mes romans favoris sont dedans aussi. (Elle a parcouru l'ouvrage rapidement.) Tu vois ? (Elle a tenu le livre ouvert juste sous mes yeux.) Regarde : toute l'œuvre de mon écrivain fétiche, K.J. Meyers, ainsi que *L'Invention de Bruno Genet* et la saga *Firegirl*. Juste ici !

J'ai jeté un œil et découvert, cette fois, *L'Encyclopédie du collectionneur de maillots de bain*.

— Whit… Je crois que j'ai compris, a annoncé Wisty d'une voix étouffée par l'admiration. Le livre nous montre ce qu'on a envie de voir. (Elle a soudain écarquillé les yeux et m'a dévisagé.) Il est magique : c'est pour ça que papa te l'a donné.

J'ai repris le journal.

— Montre-moi où est Celia, ai-je commandé sans conviction mais en retenant tout de même ma respiration, au cas où…

Rien. À moins que *L'Encyclopédie des voitures de course* me conduise d'une manière ou d'une autre à ma copine.

— Il va falloir qu'on découvre comment tout ça marche, a annoncé Wisty d'une voix tendue. Je sais que tu penses que je suis folle, mais je commence à vraiment croire en nous. En nos pouvoirs magiques. Il faut juste qu'on s'entraîne, Whit. Qu'on travaille plus dur. Parce qu'il se pourrait que tu sois bel et bien un sorcier. Et moi une sorcière.

CHAPITRE 32

WISTY

J'ai eu une super prof une année – Mme Solie. Elle nous avait raconté qu'elle connaissait le secret du bonheur éternel. D'après elle, il s'agissait de voir le verre à moitié plein plutôt qu'à moitié vide en toutes circonstances. Personnellement, j'étais d'accord. Mais comment faire lorsqu'il n'y avait qu'une goutte dans le verre ?

Plusieurs jours se sont écoulés, durant lesquels on nous a fait passer une batterie de tests interminables : examens médicaux, mesure de notre force physique, tests de QI, tests de « normalité », examen de notre patriotisme, nouveaux examens médicaux.

Un soir, alors que j'étais à moitié endormie, rongée par une faim insoutenable, ils sont venus chercher Whit.

—Non ! ai-je hurlé. Ce n'est pas encore le moment ! Pas maintenant ! J'ai fait le décompte ! Il n'a pas dix-huit ans !

Mais avant que j'aie le temps d'ajouter quoi que ce soit, la Matrone m'a saisie moi aussi, puis m'a poussée le long d'un couloir sans fin, jusqu'à une fenêtre esseulée.

Elle a pointé du doigt, dehors, une cour bétonnée et pris la parole d'une voix chantante ; j'ai senti son haleine fétide :

— Joyeux anniversaire, joyeux anniversaire, joyeux anniversaire, cher Whit… joyeuse mort à toi.

Mon sang s'est glacé dans mes veines et j'ai cessé de respirer ou presque. Dans la cour trônait un vieil écha-faud.

Elle a repris au second couplet :

— Est-ce que tu vis encore ? Est-ce que tu vis encore ?

Alors, elle a poussé une sorte de braiement hideux.

Quelques instants plus tard, un troupeau de gardes poussaient Whit dans la cour. Ses mains et ses pieds ligotés le faisaient avancer en boitant.

J'ai tenté de déglutir, en vain, au moment où un garde couvrait la tête de mon frère d'une cagoule noire.

— Non ! me suis-je époumonée en battant la vitre de mes poings. Non !

J'ai tambouriné de plus belle avant de cligner des yeux et d'entamer une longue chute instantanée…

CHAPITRE 33

WISTY

Paf! Haletante, les paupières papillonnantes, j'ai balayé du regard les murs de la cellule qui semblaient se refermer sur moi. La décharge d'adrénaline, déjà, mettait mon cerveau en ébullition.

J'ai découvert Whit qui clignait des yeux, plongé dans la torpeur. Il s'est assis et m'a regardée. Je me suis alors rendu compte que mes fesses et mon dos étaient douloureux, et, tout à coup, cela m'est revenu.

Dans mon sommeil, j'avais lévité. Le cauchemar avec l'échafaud m'avait réveillée et je m'étais retrouvée... suspendue dans les airs.

Malheureusement, mon derrière, mal rembourré, n'était pas conçu pour s'écraser sur un sol en béton à une hauteur de... disons un mètre cinquante.

— Euh... Wisty, a commencé Whit. Tu étais en train de flotter... en l'air !

Je l'ai considéré sans mot dire, savourant le simple bonheur de le voir en vie, ici, et non pas pendu à une corde.

Encore sous le choc de cet affreux rêve, j'ai senti la sueur froide sécher dans ma nuque. J'ai levé les yeux, à la recherche de poulies et de cordages qui auraient pu expliquer ma lévitation. Rien.

— Tu flottais en dormant, a répété Whit, incrédule. Et eux qui pensent qu'on n'a aucun pouvoir ici !

J'aurais voulu pouvoir nier, seulement voilà, pour preuve, mon dos endolori et le souvenir de ma chute par terre. Je me suis relevée. Debout, je me tenais à l'endroit exact où j'avais… lévité.

J'ai agité ma stupide baguette pour voir si ce geste avait le moindre effet. Sans succès.

— Ma sœur la sorcière, a plaisanté Whit en riant. Pourquoi ne pas faire apparaître un truc utile ? Un double cheese-burger par exemple ? Un milk-shake géant ? Un pistolet à électrochocs ?

En soupirant, je suis allée m'asseoir près de lui sur le lit.

— Tu rigoles, Whit, mais… toute cette histoire de sorcier/sorcière… les flammes… le halo… le marteau figé en plein vol et maintenant, la lévitation… je pense que cela signifie que nous sommes véritablement doutés de pouvoirs magiques.

J'avais l'impression d'être en train de tenir un discours du genre « oui, je suis top model ».

— Vous avez tout à fait raison, inspecteur Allgood, a rétorqué mon frère. Et maintenant, il va falloir qu'on trouve un moyen d'utiliser les pouvoirs en question pour sortir de ce trou à rats.

— D'accord, ai-je acquiescé en frappant légèrement le sol de ma baguette.

Elle avait beau être complètement inutile, je trouvais un certain réconfort à l'avoir en main. Peut-être m'aidait-elle à réfléchir ? Ou quelque chose de spirituel dans le style ?

— Et si je mettais le feu à la Matrone ? ai-je suggéré. Il suffirait de découvrir comment m'enflammer délibérément ?

— Super ! Et après on va se retrouver avec une ogresse calcinée sur les bras, en plus d'une bande de malabars furax.

— C'est vrai. Alors pourquoi pas m'enfuir en flottant par le conduit d'aération ?

Je contemplais la petite fenêtre sombre et m'imaginais en train de descendre tous les étages jusqu'en bas, où la turbine me broierait façon chair à pâté.

— Je propose qu'on claque des doigts, a raillé Whit sur un ton morose. Avec de la chance, un escalier doré se matérialisera, ainsi que des anges en train de chanter, nous indiquant l'issue de secours. À moins qu'il nous pousse des ailes et qu'on s'enfuie en volant.

— Pfff ! Des enfants ailés. Très crédible comme scénario.

Bam !

Whit et moi avons sursauté avant de nous tourner vers la porte qui s'était ouverte à la volée pour claquer contre le mur dans un grand bruit, comme sous l'effet d'un coup de pied. Nous avons patienté, aussi tendus l'un que l'autre.

Si nous avions appris une chose depuis notre arrivée, c'était que tout ce qui arrivait par cette porte n'était jamais de bon augure.

CHAPITRE 34

WISTY

— Le petit déjeuner est servi ! Œufs pochés avec du bacon, fruits frais, gaufres et sirop. Je plaisantais, les gosses.

Le mystérieux Visiteur est revenu, toujours vêtu de noir, ses yeux d'un vert glacial brillant comme s'il avait de la fièvre. J'étais persuadée que s'il continuait à me regarder ainsi, mon sang finirait par se glacer dans mes veines.

Il s'est avancé dans la pièce pour en examiner les moindres recoins à l'instar d'un détective zélé sur les lieux d'un crime, tapant les murs et testant la solidité du verre armé de la fenêtre percée dans la porte.

— Vous garder ici est une perte de temps, d'espace et d'argent, a-t-il maugréé sans daigner nous regarder. Attendre jusqu'à vos dix-huit ans est un choix arbitraire. Surtout que vous coûtez un fric fou aux contribuables... Il faut vous nourrir, vous loger.

— Euh, j'ai beau ne pas être expert en économie, est intervenu Whit avec un sourire si feint que j'ai failli grincer des dents, même moi je sais que cela ne coûte pas plus d'un centime par jour aux contribuables de nous retenir ici.

L'homme nous a fusillés du regard depuis l'entrée au coin W-C.

— Je pensais que tu avais compris la leçon, petit imbécile : on ne me répond pas et on ne me parle pas sur ce ton.

Il a fouillé dans la poche de sa veste pour en sortir une brosse à dents qui semblait vieille comme le monde.

— En guise de punition, tu me récureras les toilettes avec cet ustensile. À mon retour, elles ont intérêt à être aussi propres qu'un bloc opératoire. (Le Visiteur a inscrit quelque chose sur un bloc-notes.) Il n'y a pas de place pour les êtres de votre espèce dans le Nouvel Ordre.

— Excusez-moi, monsieur… ai-je fini par prendre la parole… mais c'est quoi, au juste, le Nouvel Ordre ?

L'intéressé a pivoté sur lui-même pour planter ses yeux dans les miens. Sa cravache noire pendait, menaçante, à l'extrémité d'un de ses bras.

Soudain, il s'est mis à parler d'une voix chantante :

— Le Nouvel Ordre est un avenir plein d'espoir et radieux. Il est là pour remplacer les libertés illusoires et corruptives des pseudo-démocraties par un modèle disciplinaire supérieur. Il a nécessité moult années de remaniements politiques stratégiques, de sondages scientifiques, de recherches démographiques, d'affinement des messages propagés et de contrôle rapproché des élections.

— Pour la première fois dans l'histoire de l'humanité, les personnes ayant des valeurs et des principes sont en mesure d'agir pour le mieux. À ce titre, il convient de procéder à l'élimination des réfractaires, des criminels et de tous ceux qui menacent la prospérité et l'organisation du Nouvel Ordre.

L'homme a lissé ses cheveux vers l'arrière.

— Je pense à vous deux notamment.

— Mais… qu'a-t-on fait de mal, monsieur ? ai-je demandé à la manière du bonnet d'âne de la classe.

Le Visiteur a plissé les yeux, son regard toujours aussi perçant. Il s'est approché, si près que j'ai senti des relents de naphtaline et de Gomina.

— Ce que vous avez fait de mal ? Vous êtes des parasites, a-t-il rétorqué d'une voix sifflante. Vous êtes de la pire espèce : celle des marginaux réfractaires, des saltimbanques, des illusionnistes.

J'ai ouvert grande la bouche, abasourdie.

— Mais nous ne sommes que des enfants !

— Des enfants, a-t-il relevé sur un ton qui laissait penser qu'il parlait d'une plaie suppurante et pestilentielle. Nombreux sont les enfants qu'on ne peut tolérer dans le Nouvel Ordre.

Alors, j'aurais dû la fermer et ne pas laisser apparaître la moindre expression sur mon visage, me tenant bien tranquille jusqu'à son départ.

Au lieu de cela, pourtant, j'ai frappé du pied et me suis exclamée :

— Nous ! Ne sommes ! Que des ! Enfants !

Sur la dernière syllabe, j'ai pratiquement hurlé et, tandis que l'homme levait sa cravache au-dessus de sa tête avec un air de ravissement et de folie à la fois... Woutch ! Je me suis enflammée pour la première fois depuis notre arrivée au camp Alcatraz. Des flammes immenses. Impressionnantes, même pour une pyromane telle que moi.

Whit m'a aussitôt acclamée :

— Ha ha ! Bien joué, sœurette !

À travers le rideau de flammes dansantes, j'ai vu le Visiteur qui me fixait avec horreur, battant fébrilement en retraite vers la sortie. J'ai écarté les bras et me suis dirigée vers lui en imitant un zombie :

— Un gros câlin, ça ne vous dit pas ?

— Diablesse ! a crié l'homme juste avant de claquer violemment la porte derrière lui.

— Drôle de façon de lui prouver que nous ne sommes que des enfants, fille de l'enfer, a commenté Whit. Enfin, c'était quand même drôlement cool.

CHAPITRE 35

WISTY

J'ai trempé la brosse à dents dans l'eau grisâtre des toilettes et récuré un autre centimètre carré du sol. Je chantais ; à croire que j'avais perdu la tête – ce qui était probablement le cas.

— « J'ai pas demandé à venir au monde... J'voudrais seulement qu'on me fiche la paix... »

Au bout d'un certain temps, j'avais écumé toutes les bonnes chansons dont je connaissais par cœur les paroles et laissez-moi vous dire qu'il y en a beaucoup. Mais là, je touchais le fond, réduite à chanter des comptines de maternelle. J'étais devenue une star du karaoké parce que mes parents jouaient un tas de musiques de toutes sortes : des vieux tubes, des modernes, du classique, du blues, du jazz, de la pop et – incroyable mais vrai ! – même du hip-hop. De Toasterface à Ron Sayer en passant par Lay-Z.

Ils étaient vachement *in* mes parents. Je veux dire, ils *sont*.

Ce souvenir aigre-doux m'a complètement déconcentrée et j'ai dû chanter à pleins poumons pour me remettre dans le bain de mon récurage. Whit, de toute évidence, ne portait aucun intérêt à mon concert privé.

— Donc, notre Visiteur semble avoir peur du feu, a-t-il déclaré en s'adossant au mur pour faire une pause.

— Effectivement, la plupart des gens ne sautent pas de joie face à une torche vivante, Whitford, ai-je répliqué, les yeux levés au plafond. De toute façon, c'est une mauviette.

— Soit, nous sommes des sorciers. Mais qu'est-ce que ça signifie au juste ? Cela fait longtemps que je n'ai pas lu de conte de fées. Je ne pourrais même pas te dire ce qu'ils sont censés faire d'ailleurs... si ce n'est, je crois, jeter des sorts volontairement au lieu de tous ces trucs qu'on ne contrôle pas.

— Je sais. Si j'avais reçu un centime chaque fois que j'ai prononcé « abracadabra » sans qu'il ne se passe rien, je serais capable de refaire ma garde-robe au complet avec, en prime, un chien taille sac à main assorti à chacune des tenues. (J'ai marqué une pause ; mon bras me lançait.) Une seconde. Je retire ce que j'ai dit. Cela ne me fait même pas envie. Je préférerais...

Whit m'a sortie de ma rêverie :

— Il doit y avoir une astuce...

Il a dégluti comme s'il s'étranglait.

J'ai bondi sur mes pieds. Whit fixait son bras.

Moi aussi.

Sa main s'était enfoncée dans le mur.

Non pas « enfoncée » comme s'il avait défoncé le mur de ciment à coups de poing ; disons plutôt que les

molécules qui constituaient le mur s'étaient réorgani-
sées autour de sa main.

— Euh... tu peux retirer ta main ? ai-je voulu
savoir. Essaie.

Whit a affiché une mine soucieuse ; pourtant, il a
tout de suite retiré sa main sans aucune douleur ni
résistance apparente. Nous l'avons tous deux exami-
née : rien de particulier. Elle n'avait pas changé. Alors,
il l'a replacée contre le mur et s'est remis à pousser
doucement. Sa main s'est enfoncée sur plusieurs centimètres, son contour flou disparaissant sous les molécules de la cloison.

— Je ne peux aller que jusqu'à hauteur du coude, a-
t-il expliqué. Après ça, le mur devient plus ferme.

J'ai secoué la tête.

— Bizarre. Très bizarre ! Utile ? C'est une autre histoire. À moins que tu arrives à pénétrer totalement le
mur. Pitié, ne passe pas la tête la première.

La voix de Whit, sourde, s'est tout à coup élevée
depuis l'autre côté du mur derrière lequel avait disparu
sa tête.

— Tu ne vas pas me croire ! s'est-il écrié d'une voix
déformée. C'est hallucinant !

CHAPITRE 36

WHIT

J'ai cligné des yeux plusieurs fois.

Je venais de découvrir un monde parallèle. Tout était noir ou gris ou paré de reflets verts. Je distinguais des formes floues qui se déplaçaient ainsi que des bribes de conversations imprécises.

Cela s'apparentait à regarder un film d'horreur sur un vieux poste de télé qui captait extrêmement mal.

Wisty, de l'autre côté du mur, s'était mise à me tirer par la manche. J'entendais à peine sa voix – ce qui, en soi, suffisait à me faire flipper.

Certaines ombres gagnaient en précision et en clarté car elles se rapprochaient ; un détail qui était loin de me plaire.

— N'approchez pas, ai-je tenté de prévenir, mais ma voix s'est perdue.

Là, une des silhouettes s'est tournée vers moi comme si elle entendait.

Elle avait indéniablement l'air humaine. Sa bouche s'est tout à coup ouverte – une tache sans forme sur fond d'ombres. J'ignore si elle a parlé : je n'ai pas compris.

Peu à peu, elle a comblé l'écart entre nous, mais avec précaution. Alors, j'ai entendu les mots prononcés d'une voix distincte :

— Il y a quelqu'un ?

Tandis que je suivais des yeux la scène, intimidé, sans parler, le visage de la silhouette est finalement apparu clairement. J'ai poussé un cri.

C'était Celia.

Et cette fois, je ne rêvais pas.

CHAPITRE 37

WHIT

— Celia ! l'ai-je appelée, mais j'avais la gorge sèche et ma voix, à nouveau, s'est perdue.

Mes jambes, en outre, semblaient se dérober sous moi.

Celia s'est figée net et a jeté des regards autour d'elle, à croire qu'elle ne me voyait pas, debout, à un mètre de là.

— Celia ! C'est moi, Whit ! Je suis juste ici. Mais il ne faut pas me demander où l'on est.

Ses yeux ont fini par croiser les miens. Elle a battu des paupières. Une fois. Deux fois. Puis elle a reculé d'un pas sous le coup de la surprise.

— C'est moi. Je suis là. Tu avais dit qu'on se reverrait. Pour de vrai.

De l'autre côté, Wisty continuait à m'appeler. Elle me conjurait de revenir en hurlant. Seulement, j'étais incapable de détacher mes yeux de Celia. Sa peau semblait encore plus pâle que dans mes rêves. Ses pupilles, en revanche, brillaient comme à l'accoutumée et parlaient d'elles-mêmes. Elle était toujours aussi belle, voire peut-être plus belle encore. Elle rayonnait.

— Whit ? (Elle s'est humecté les lèvres – un réflexe lorsqu'elle était nerveuse – et a fini par s'approcher.) Whit, ça y est : je te vois. Comment as-tu… Où es-tu ?

— Tu ne vas pas me croire, mais je suis dans les toilettes de la chambre d'un hôpital psychiatrique.

Mes mots semblaient s'envoler aussitôt prononcés. Je ressentais le besoin de tendre la main vers elle. Peut-être pourrais-je l'emmener avec moi ?

— Mais où es-tu ?

Celia m'a décoché un regard étrange et j'ai senti mon cœur se serrer.

— Whit, a-t-elle chuchoté sur un ton d'urgence, tu dois t'en aller tout de suite. Tu ne devrais pas être ici : c'est dangereux !

— Pourquoi ? me suis-je écrié.

— Je suis désolée… mais il faut que je te raconte ce qui m'est réellement arrivé. (Sa voix s'est brusquement cassée et elle s'est mise à pleurer.) Ils m'ont assassinée. Ils ont dit… que c'était à cause de ta sœur et toi. C'est arrivé à l'hôpital, Whit. À cause du Nouvel Ordre. Le Seul-L'Unique, c'est lui qui est derrière tout ça. C'est un monstre. Un monstre tout-puissant.

Je m'étais mis à pleurer moi aussi. Mon corps était parcouru de tremblements et je ne sentais plus mes membres, aux extrémités.

— Je te vois. Tu avais promis qu'on se retrouverait. Tu es ici, avec moi. Tu n'es pas morte, Celia.

— Ne reviens pas, Whit, m'a-t-elle prévenue. Ici, c'est le Royaume des Ombres. Il est réservé aux esprits. C'est ce que je suis à présent. Un fantôme.

CHAPITRE 38

WHIT

— Whit, reviens ici tout de suite ! Whitford !

Tout à coup, les bras musclés de Wisty se sont refermés autour de ma taille et elle a tiré de toutes ses forces.

— Wisty, non !

J'ai essayé de la repousser, mais elle se cramponnait trop fermement. Je sentais qu'elle prenait appui avec ses pieds contre le mur et tirais du mieux qu'elle pouvait, en dépit de ma résistance.

Ou bien j'avais perdu en puissance, ou Wisty était plus costaude qu'avant. Elle est parvenue à me ramener de l'autre côté du mur, loin de Celia. Ensemble, nous sommes tombés violemment en arrière, heurtant le mur opposé.

Nous nous sommes dégagés et je me suis rué vers le mur, tel un homme possédé.

— Whit, non ! Non ! Non ! Whit, je t'en supplie.

— Celia ! ai-je hurlé, mes lèvres collées à la paroi froide. Reviens !

J'ai d'abord poussé le mur puis je l'ai roué de coups. Ensuite, j'ai tenté d'y enfoncer à nouveau mon poing. En vain. J'ai fini par abandonner et fondre en larmes.

Wisty, le regard fixe vers moi, ses mains jointes sur le sommet de son crâne, ne bougeait pas. Elle avait toutes les raisons de croire que j'avais perdu la tête pour de bon.

— Wisty, j'ai vu Celia.

— Quoi ? Dans le mur ?

Je lui ai raconté tout ce que j'avais vu, tout ce que Celia m'avait dit. Comment on l'avait assassinée à cause de nous et qu'elle était désormais un fantôme.

Wisty est restée sans voix tandis qu'elle tentait de digérer cette nouvelle improbable : j'avais vu et parlé à un fantôme.

Quand soudain, j'ai entendu un bruit : quelqu'un venait de déverrouiller notre porte.

CHAPITRE 39

WISTY

La Matrone a fait irruption dans la pièce et nous a annoncé que nous retournions voir le juge Ezekiel Unger. Si nous nous y attendions ! Peut-être y avait-il eu erreur sur notre identité de sorcier et sorcière ? À moins que nos parents aient trouvé un moyen d'intercéder pour nous ? Peu importait de quoi il s'agissait, une chose majeure s'était produite et je caressais l'espoir de recouvrir une partie de notre humanité.

Après nos au revoir à la Matrone — pas exactement ce que j'appellerais chaleureux —, nous avons effectué un trajet à toute allure dans une camionnette crasseuse qui sentait le sang et l'urine animale.

— Tu trembles, a constaté Whit.

Doucement, il m'a embrassée sur le front. En vérité, nous nous adorions tous les deux, mais nous avions passé notre temps à nous chamailler à propos de brou-tilles. Tout ça, c'était du passé. La vie est trop courte, comme le dit l'adage qu'on a tendance à sous-estimer. En outre, l'évidence me sautait à présent aux yeux : Whit était un grand frère en or. J'aurais simplement préféré m'en apercevoir sans avoir à passer par la case du trou à rats du Nouvel Ordre.

La camionnette s'est arrêtée dans un crissement de pneus et on nous en a fait sortir avec brutalité. Après avoir pénétré dans un vaste bâtiment, nous nous sommes retrouvés dans un décor caractéristique du Nouvel Ordre avec tout ce qu'il y avait de plus normal et ordinaire – sans relief et monochrome : des lumières aveuglantes, un couloir de tribunal, des employés lambda du Nouvel Ordre, portant des tenues on ne peut plus classiques avec, ici et là, des sonneries de portables préprogrammées qui retentissaient dans une seule et même tonalité. Des photos de Le Seul-L'Unique étaient placardées dans tous les coins. Sur les murs figuraient des panneaux aux lettres noires NO sur fond rouge. Cela redonnait un aspect un tout petit peu positif à nos jours en prison : à savoir qu'au moins, là-bas, nous n'avions pas à supporter cela.

Whit s'est approché pour me glisser à l'oreille :

— À la moindre occasion, on part en courant ! Main dans la main. Et surtout, quoi qu'il arrive, tu ne te retournes pas !

Un garde a brusquement ouvert une porte sculptée et...

Nous avons atterri dans cette infâme salle d'audience. Le juge Ezekiel Unger, fidèle à lui-même, me rappelait soudain le cousin de la Faucheuse.

— L'Élu qui Juge ! a annoncé en minaudant un laquais du Nouvel Ordre.

Comme si nous avions pu oublier à quoi l'affreux ressemblait.

Cette fois-ci, il n'y avait pas de jury pour darder sur nous des regards fielleux ni de spectateurs qui se moquaient de nous. Seuls étaient présents L'Élu qui Juge, les vigiles armés et… le Visiteur. Intérieurement, j'ai poussé un grognement en l'apercevant. Il nous faisait probablement comparaître aujourd'hui pour faute dans l'exercice de nos fonctions de nettoyeurs de W-C. À moins qu'on ait réussi à nous faire inculper pour avoir lâché nos seaux dans le Couloir des Chiens Enragés.

Le juge Unger, absorbé par la lecture d'un rapport épais, ne nous a gratifiés, à notre arrivée, que d'un furtif coup d'œil dégoûté avant de tourner la page pour poursuivre sur sa lancée.

— Wisteria Allgood, a-t-il finalement commencé. (Il a ensuite levé ses yeux sans vie sur moi.) Whitford Allgood. (Sans que je sache comment, j'ai trouvé qu'il parvenait à faire sonner la dernière syllabe de notre nom de famille comme s'il s'était agi de quelque chose de très mal.) J'ai cru comprendre que vous vous plaisiez à l'hôpital ?

— C'est fantastique ! ai-je rétorqué. (Je n'ai pas pu m'en empêcher.) Un cinq-étoiles, votre truc.

— J'ai en main vos dossiers médicaux, a-t-il poursuivi sans tenir compte de mes sarcasmes et en agitant la liasse comme si elle ne pesait rien. (Il nous considérait d'un regard assassin.) Vos tests indiquent que vous êtes… normaux. À l'unanimité.

Mon cœur a fait un bond. Enfin ! Tout cela n'était qu'une terrible méprise. Nous allions pouvoir rentrer chez nous, revoir nos parents. Ce cauchemar prenait fin. Il était temps !

— J'exige que vous me disiez sur-le-champ, a repris le juge, qui vous avez soudoyé. Lui ? Le Visiteur ? Cela ne me surprendrait pas.

CHAPITRE 40

WISTY

— Soudoyé ?

Whit a failli s'étrangler.

— Le Visiteur ? ai-je répété. Aucun doute à avoir sur lui, je vous rassure : c'est un sadique de première. On ne fait pas plus loyal.

— Évidemment que vous avez dû graisser la patte de quelqu'un ! a tonitrué le juge. Normaux ? Il n'y a pas plus *anormaux* que vous ici. La dépravation n'a rien de normal. La tromperie non plus. Encore moins, le danger pour notre société.

Whit était à deux doigts de craquer.

— Et la débilité mentale non plus, je vous ferais remarquer ! Avec quoi voulez-vous qu'on soudoie qui que ce soit ? De la bouillie d'avoine ? Des crottes de souris ? Des conseils beauté de cette charmante Matrone ?

Le visage du juge Usher, en furie, a viré à une teinte violacée.

— Ce n'est pas toi qui poses les questions, ici, gamin, a-t-il craché à la manière de ces fontaines sur les places publiques. Toi, tu réponds ! Je répète une dernière fois : de qui s'agissait-il ? Je sais pertinemment que ce n'était pas l'infirmière en chef : c'est ma sœur bien-aimée.

Voilà un scoop ! ai-je songé avec lassitude. Je me suis promis de ne plus faire de blague sur la Matrone pour le restant de la journée.

— Et si vous osez dire encore quoi que ce soit sur elle, je vous accuse d'outrage à magistrat et, en comparaison, les charges qui pèsent actuellement contre vous auront l'air d'une retenue après l'école.

Vous n'êtes vraiment qu'un sale cafard, ai-je rétorqué en pensée.

Entre-temps, Whit a pris la parole :

— Je suis désolé ; peut-être que les machines de vos larbins ne marchaient pas ce jour-là.

— Silence ! s'est énervé le juge. Vous avez de toute évidence affecté les appareils de mesure. Vous et vos pouvoirs magiques. Vous avez trafiqué les résultats !

Un cafard, c'est tout ce que vous êtes. Un cafard ! ai-je hurlé dans ma tête. *Si seulement je pouvais changer le juge Unger en cafard. Je suis une sorcière après tout. Pourquoi ne serait-ce pas possible ? Pourquoi ?*

Je vous transforme en cafard, ai-je formulé en moi. *Changez-vous en cafard !*

J'ai commencé à avoir mal à la tête à cause de l'effort. Les sorcières connaissaient des incantations toutes prêtes mais moi pas. Je ne me souvenais que de quelques strophes de mon enfance. Y en avait-il qui parlaient de cafards ?

Le seul truc un peu harmonieux dont je me rappelais, c'était :

Des mouches dans la cuisine, bonté divine ;
Des mouches sur la bassine, je perds la bobine ;
Des mouches dans la nuit, bonté divine.
Des mouches ! Tirons-les à la carabine !

Quant à vous expliquer la signification, ne me demandez pas.

Le juge continuait à hurler sur Whit dont le visage était fermé, de crainte, probablement, d'éclater s'il ne se contenait pas. C'est le genre de signaux qu'une sœur reconnaît.

Soudain, un bourdonnement a attiré mon attention. J'ai levé les yeux.

Impossible !

Le bruit s'est amplifié et, tout à coup, l'un des gardes s'est exclamé :

— Nom de… ! Wouho ! Oh mon Dieu ! Mon Dieu !

La salle d'audience pullulait de taons.

J'avais déclenché une invasion.

CHAPITRE 41

WISTY

Des taons énormes fondaient en piquet sur les gens partout où je regardais, véritable essaim enragé, déterminé à sucer du sang humain. Et c'était ma faute. Oups, comme dirait l'autre. Méga oups.

Si quelqu'un avait lâché une cargaison de boules puantes couplée à un cocktail de météorites dans le tribunal, le désordre n'aurait pu être plus à son comble. Les malabars qui faisaient d'ordinaire office de gardes agitaient leurs bras au-dessus de leurs têtes, telles des jeunes filles affolées qui auraient marché sur un nid de guêpes.

La mâchoire du juge Unger gisait béante. Position idéale pour gober les mouches, et il a d'ailleurs refermé bien vite la bouche alors que plusieurs taons, au calibre hors compétition, s'apprêtaient à tenter une opération kamikaze au fond de sa gorge.

Whit et moi nous sommes réfugiés sous une table.

— C'est quoi, ce délire ? C'est toi qui… ?

— Euh… ai-je commencé, coupable. Si on veut.

— Wisty, qu'est-ce que tu as fichu ? m'a-t-il lancé à voix basse.

— Je n'en suis pas trop sûre. Je me suis souvenue d'une comptine ; une histoire de mouches, dans la cuisine, tirées à la carabine.

Le bourdonnement s'est brusquement interrompu.

C'est tout ? ai-je songé. *L'invasion est terminée ?*

CHAPITRE 42

WISTY

De sous la table, je scrutais le Visiteur qui tournait dans tous les sens, battant en vain l'air de ses bras, semblables à des bâtons. Le juge Unger a jeté un coup d'œil de derrière le rideau de sa toge ; il avait les yeux exorbités.

Un des gardes s'est alors écrié :

— Oh mon Dieu !

— Non, non ! a hurlé un autre. Pas ça ! C'est encore pire !

Je n'en croyais pas mes yeux. Les taons avaient disparu mais, à présent, les bras, les visages et le moindre centimètre carré de peau nue des gens étaient couverts de petites taches noires.

Et les taches en question bougeaient !

— Aïe ! a soufflé Whit. Les taons se sont transformés en sangsues.

— Je n'ai jamais parlé de sangsue pourtant, me suis-je défendue dans un murmure.

Visiblement, ces saletés de ventouses vivantes étaient on ne peut plus élastiques. Un des hommes a tenté d'en arracher une de sa lèvre, et elle s'est étirée encore et encore jusqu'à ce qu'elle éclate et se répande dans une bouillie jaunâtre dégoûtante. Ailleurs, les sangsues s'accrochaient aux murs, aux bureaux et aux chaises. Il y en avait par milliers ; ensemble, elles donnaient l'illusion d'un vers géant, suceur de sang. Certaines tombaient du plafond.

— C'est le truc le plus répugnant que j'ai vu de ma vie, a déclaré Whit. Pire encore qu'à l'hôpital. D'un certain côté, ça me plaît.

— Hé, elles n'ont pas l'air de s'en prendre à nous, tu as remarqué ?

Une voix tonitruante s'est alors élevée dans le tribunal.

— Arrêtez ! Arrêtez immédiatement ces gamineries ! Fini les mouches, les sangsues, fini de semer la zizanie par tous les moyens !

Mes jambes se sont subitement mises à flageoler. En réalité, non, j'avais carrément la sensation qu'elles étaient paralysées. Et là, ça m'est revenu. Comment aurais-je pu oublier ?

Il était là, il venait d'arriver et, déjà, il avait tout gâché. La décoration, vieillotte et chargée, le Nouvel Ordre, l'uniformité rasoir… Tout concordait.

— Je suis Le Seul-L'Unique. Des fois que vous ayez perdu la mémoire ou refoulé ce souvenir.

Il s'est avancé à grandes enjambées jusqu'à ce qu'il soit juste au-dessus de Whit et moi.

— Je vous ai observés, tous les deux : ici, dans cette salle d'audience, à l'hôpital aussi. Voyez-vous, jeunes gens, je suis partout ; de toute évidence, je suis aussi tout-puissant, contrairement à vous !

Il a adressé un clin d'œil à Whit.

— Je suis même capable de faire taire ta sœur. Qui oserait remettre ma puissance en doute ? Je vous garantis que les tests vont continuer longtemps. Jusqu'à ce qu'on ait trouvé la réponse que je cherche et que soit résolue l'énigme des Allgood. Je veux découvrir le secret de leur pouvoir ! Loi défiant la pesanteur ? Dons de guérisseurs ? Immortalité ? Métamorphose ? Télékinésie ? Je compte bien trouver.

— Ramenez les prisonniers à l'hôpital ! Et les traitements de faveur, ça suffit ! Qu'on multiplie par deux leurs corvées, leurs examens médicaux. Qu'ils bénéficient du moins de confort possible ! J'exige une réponse à mes questions !

En conclusion, son Unique Grandeur s'est penchée vers moi, à quelques centimètres de mon visage.

— *Witcheria*, y a-t-il quoi que ce soit que tu souhaiterais ajouter ? N'importe quoi ? Mon expression de « gamineries » pour définir tes misérables tours de passe-passe t'a peut-être froissée ? Mais je suis certain que tu connais le vieux proverbe « jeux de main, jeux de vilain ». Ouste ! Débarrassez-moi d'eux !

Et là, je jure que c'est vrai, on aurait dit qu'un tremblement de terre d'indice sept sur l'échelle de Richter venait de se déclencher, emportant Le Seul-L'Unique dans son sillage.

Si seulement c'était pour de bon…

CHAPITRE 43

WISTY

Comment on dit, déjà ? « Appris à l'école de la vie, ce qui ne me tue pas m'endurcit » ? Il y avait sûrement une part de vérité là-dedans. Je me sentais en effet plus forte. Plus en colère aussi. Un feu me dévorait de l'intérieur.

Une fois de retour dans notre cellule, à l'hôpital, je m'attendais à ce que la Matrone nous tombe dessus et qu'elle s'acharne sur nous avec son pistolet à électrochocs jusqu'à ce qu'on implore sa pitié. J'imaginais que le Visiteur viendrait nous fouetter jusqu'au sang avec sa cravache. Je n'aurais pas été étonnée qu'ils nous jettent aux meutes de leur enfer pour le dîner. Le *leur*.

Mais non. Nous avons été confrontés à bien pire.

Byron Swain !

Ce petit morveux de collabo-fayot de Byron ! J'aurais donné cher pour être encore au lycée et que Whit lui mette la pâtée.

— Salut les prisonniers !

Il avait une voix nasillarde absolument insupportable, le genre qui ferait lever les yeux au ciel avec une expression de dégoût à une statue de Jésus.

— Qu'est-ce que tu veux ? Tu n'as pas pu t'empêcher de revenir : on te manquait à ce point ? ai-je lancé. À moins que tu ne prétendes au poste de Visiteur Second ?

— Tiens, tiens, comme on se retrouve, a-t-il répondu.

Comme d'habitude, il avait l'air d'avoir été trempé dans un désinfectant de la tête aux pieds. Ses cheveux bruns étaient gominés et ses yeux parfaitement ronds avaient la chaleur de deux billes. Un pli impeccable séparait en deux ses jambes de pantalon.

J'ai arqué les sourcils.

— C'est tout ce que tu trouves à dire ? « Tiens, tiens, comme on se retrouve » ? Tu aurais pu te fouler un peu !

Le jour de mon arrivée à l'hôpital pour pseudo-malades mentaux, j'avais peur, je me sentais vulnérable. Mais au point où nous en étions désormais et après tout ce que nous avions déjà traversé, je n'allais certainement pas laisser Gueule de Fouine me saper le moral.

Byron a rougi et pincé les lèvres.

— Ferme-la, toi la sorcière ! Sinon j'ordonne à la Matrone qu'elle t'électrocute jusqu'à ce que tu finisses en légume.

Il m'a décoché un sourire sardonique et j'aurais parié qu'il avait dû s'y entraîner devant son miroir, en sortant d'un de ses bains stérilisateurs, probablement.

— Maintenant, écoutez-moi bien : vous êtes tous les deux considérés comme « extrêmement dangereux » – c'est le degré ultime dans la classification des menaces et des ennemis du Nouvel Ordre.

— « Extrêmement dangereux » ? a répété Whit. Quel honneur ! Nous souhaiterions remercier nos parents, bien sûr, ainsi que notre entraîneur au lycée, M. Schwietzer.

Byron, connu également sous le nom de Commère de Première, a repris :

— Il se trouve que dans votre cas, c'est une bonne et une mauvaise nouvelle. La bonne, c'est que vous avez écopé d'un abonnement gratuit à toute une batterie de tests dont on vous a parlé au tribunal. La mauvaise ? Eh bien, la classification « extrêmement dangereux » fait passer l'âge légal de votre exécution de 18 à 0 an. En d'autres termes... vous pouvez tous les deux être exécutés pas plus tard que... demain !

Un sourire suffisant aux lèvres, il a lissé ses cheveux prélissés.

— Alors ? On a perdu sa langue tout à coup ? Fini les blagues de magicien à deux centimes ? Sérieusement, je voudrais bien avoir votre avis à chaud.

CHAPITRE 44

WISTY

Eh bien, au moins j'étais ravie de constater que quelqu'un, sur cette planète ultra régentée, avait du plaisir.

Seulement, le sourire de ce bêcheur de Byron était pour moi la goutte d'eau qui faisait déborder le vase. Pour Whit aussi d'ailleurs.

— Tu trouves ça drôle ? a demandé mon frère d'une voix grave, les poings serrés. Et si c'était ta sœur qu'on mettait à mort demain ?

La Fouine nous a considérés avec son air supérieur.

— Ma sœur a trahi le Nouvel Ordre, a-t-il expliqué lentement pour plus d'effet. Je l'ai donc... dénoncée.

Je n'en revenais pas. Même à l'époque où Whit dessinait des moustaches sur toutes mes poupées et que je regrettais sincèrement qu'il soit né, jamais je n'aurais souhaité sa mort ! Qu'il souffre, à la rigueur, mais pas qu'il meure.

— Donc vous nous prenez pour des êtres extrêmement dangereux ? ai-je dit en tapant ma baguette contre moi.

— Oui, a confirmé la Fouine. Et le monde ne se portera que mieux sans vous.

— Parce que je suis une sorcière maléfique ? ai-je raillé. Une vilaine, méchante sorcière ?

— Exactement. Tu as probablement vendu ton âme au diable en échange de tes pouvoirs.

J'ai agité ma baguette dans sa direction et vu la peur non dénuée d'une certaine fierté se disputer la vedette sur son visage allongé d'intello. Il m'a décoché un regard noir.

— Pose ça tout de suite. C'est un ordre !

— Ouuuuh vilaine, vilaine sorcière que je suis, ai-je dit en imitant une voix de psychopathe. Je vais te changer en citrouille ! Bibidi-babidi-bou !

Alors, j'ai brandi ma baguette à la manière d'une baguette magique.

Et, à ma plus grande surprise, nous avons entendu un crépitement tandis que des étincelles fusaient à l'extrémité du morceau de bois. La Fouine, effarouchée, a poussé un cri puis un « boum » a retenti, si fort qu'on aurait pu croire à un jet ayant passé le mur du son.

Une fois la fumée dissipée, Whit et moi avons posé les yeux sur ce qui dans la chambre… selon toute vraisemblance… était le résultat patent d'une erreur.

Une regrettable erreur.

CHAPITRE 45

WISTY

J'étais persuadée d'avoir dit « citrouille », pas vrai ? C'est bien ça que j'avais dit, non ?

— Euh… on dirait que je viens de changer La Fouine en… lion ! ai-je commenté du bout des lèvres.

— Ça, je n'avais pas besoin que tu me le précises.

Le lion a toussé et posé une patte sur son torse.

— Ahem, a-t-il fait pour s'éclaircir la voix.

Là, le félin a ouvert la gueule pour s'entraîner à rugir.

— Rends-lui son apparence humaine, a commandé Whit en nous plaquant tous deux contre le mur le plus proche. Allez, vite ! Dépêche ! Avant que La Fouine s'aperçoive qu'il a été transformé en mammifère cannibale ! Essaie autre chose que « citrouille » !

Le lion a poussé un nouveau rugissement, plus fort cette fois. L'idée d'être effectivement un lion semblait faire son chemin dans son esprit. Soudain, il m'a souri — enfin, si on peut dire. En résumé, j'ai vu deux rangées de dents effilées.

— Rends-lui son apparence humaine, a insisté Whit sans détacher son regard du roi des animaux.

Le lion a rouvert la gueule et rugi de plus belle, balayant mes cheveux vers l'arrière. L'écho a résonné contre les murs.

J'ai levé ma baguette en l'air et chanté :

— Bibidi-babidi-bou !

Il ne s'est rien passé. Évidemment !

Je me suis concentrée à nouveau. Ce qui est drôle avec la concentration, c'est qu'on ne se rend pas compte à quel point on n'en a pas, le reste du temps, avant d'être enfin concentré. La vérité, c'est que je ne crois pas que je m'étais jamais concentrée sur quoi que ce soit avant cet énorme lion dans cette cellule-mouchoir de poche.

— Reprends ta forme naturelle ! (J'ai agité une nouvelle fois ma baguette.) Allez, allez ! Sérieusement !

Boum ! Des éclairs, des étincelles, une odeur âcre et un gigantesque nuage de fumée – tout y était.

De la main, j'ai écarté la fumée de mon visage pour mieux voir et tout ce que j'ai constaté, c'est que le lion n'était plus là. Seulement, pas de trace de Byron l'infâme non plus.

Whit et moi avons échangé un regard fasciné mais inquiet.

Puis, j'ai entendu des bruits de lutte et des petits cris près de la porte.

— Hum.

— Hum, a dit Whit à son tour.

J'ignore si ma formulation « forme naturelle » signifiait en langage de sorcier ce que « citrouille » avait été interprété, dans la même langue, comme « lion », mais en tout cas, on se rapprochait du résultat escompté.

Parce que Byron la Fouine Swain s'était transformé en… fouine pour de bon.

CHAPITRE 46

WHIT

— Chapeau, sœurette ! Tu es balaise, l'ai-je complimentée.

— Tu l'as dit ! Je mérite mon titre de vilaine sorcière.

— Encore heureux pour moi que tu n'aies pas découvert ces pouvoirs plus tôt, à l'époque où je me moquais de ta coiffure, par exemple.

Wisty a souri jusqu'aux oreilles. À croire qu'elle venait de gagner le gros lot.

Nous avons baissé les yeux sur la fouine autrefois connue sous le nom de Byron qui, debout sur ses pattes arrière, feulait avec fureur.

— Visiblement, il préférait quand il était lion, ai-je deviné.

Au même instant, la porte de notre cellule s'est ouverte à la volée sur la Matrone, flanquée de deux de ses pires vigiles armés, les plus costauds et les plus mauvais. Appelez-les Joe et Schmo. C'est ce que nous avons fait.

— C'était quoi, cet affreux bruit ? a-t-elle crié en scrutant la pièce de ses yeux perçants.

— Euh… quel bruit ? ai-je répliqué avec l'innocence d'un scout en camp.

— On aurait dit un lion… en train de rugir, a-t-elle avancé, son teint de cire mortuaire virant légèrement au rose.

— Han han… (J'ai affiché une mine soucieuse, les sourcils en forme d'accents circonflexes.) Un lion ? Ici ? Dans notre chambre ?

Les deux hommes se sont regardés. Du coin de l'œil, j'ai aperçu la fouine qui se glissait par l'entrebâillement de la porte et disparaissait pour s'enfoncer dans la pénombre.

— Où est passé le rapporteur junior Swain ? a voulu savoir la femme.

— Je suis désolé, il est parti, Matrone, ai-je expliqué en me forçant à un ton de respect. Il n'est resté qu'une minute. Par contre, il nous a lu le texte de loi antiémeutes. Un coriace, ce Swain.

— Mensonge !

Ses narines se sont dilatées et des crevasses blanches se sont dessinées de chaque côté de son redoutable nez. Et, avant que j'aie le temps de riposter, elle a bondi sur moi pour me piquer au creux des reins de son pistolet à électrochocs.

CHAPITRE 47

_____

WHIT

Je me suis figé sur place, m'attendant à m'effondrer comme la fois d'avant, sous l'effet d'une douleur cuisante, voire à m'évanouir, mais je n'ai ressenti qu'une sensation de... chatouille.

J'ai d'abord pensé qu'elle avait mal chargé le pistolet mais, en observant de plus près, j'ai vu le bleu des étincelles et j'ai senti le gaz. Pourtant, pas de douleur insoutenable. *Nada.*

La Matrone m'a adressé un regard menaçant dans l'attente de ma chute ; j'ai donc poussé un grognement délibéré et me suis laissé tomber sur les genoux, passant mes mains sur le mur comme si je n'avais pas la force de me tenir debout. J'ai adressé un clin d'œil furtif à Wisty afin qu'elle sache que c'était du chiqué.

Pendant ce temps, les gardes ont pris position de chaque côté de la porte tandis que la Matrone examinait en détail la fenêtre qui donnait sur le conduit d'aération. Il était clairement trop petit pour que nous ayons pu y jeter Byron, en tout cas dans sa forme humaine.

Elle a ensuite passé en revue le coin toilette pendant une durée infinie – comme si nous l'avions mis dans les W-C avant de tirer la chasse d'eau et qu'elle allait trouver des traces de sa Gomina en surface en guise de preuve.

Je me suis soudain rendu compte que la porte du couloir était restée ouverte. En jetant un œil à ma sœur, j'ai constaté qu'elle s'était fait la même réflexion. Nous nous sommes mis à glisser sur la pointe des pieds dans cette direction, mais nous avons aperçu les bras des vigiles, de chaque côté, leur pistolet en main, prêts à l'attaque. Y avait-il un moyen de leur prendre ? Et si Wisty les changeait en crapauds ?

C'est alors que j'ai vu quelque chose entrer en flèche dans la chambre. Une ombre. Aussitôt, elle s'est fondue dans les ténèbres du mur d'en face. Wisty a écarquillé les yeux ; elle avait vu comme moi. Nous avons échangé un regard médusé.

La Matrone nous a toisés, l'air soupçonneux.

— Je reviens.

Puis elle est sortie d'un pas lourd. Alors qu'elle passait à côté d'un garde, elle a paru avoir une idée de dernière minute. Elle l'a frappé de la pointe de son pistolet. « Joe », sur-le-champ, a poussé un cri avant de tomber comme un sac à patates. Nous avons observé son corps musclé, parcouru de convulsions, au sol, et qui rappelait une anguille géante.

La femme l'a regardé, a considéré un instant le pistolet, puis elle a claqué la porte et l'a refermée à clé.

— Les pistolets à électrochocs ne sont plus ce qu'ils étaient... En tous les cas, avec toi, a commenté Wisty.

Je n'ai pu réprimer un gloussement.

— Apparemment, non, ai-je acquiescé en scrutant à nouveau les coins d'ombres de la pièce.

J'aurais juré avoir vu quelque chose bouger…

— Soit j'ai développé une sérieuse tolérance aux électrochocs, soit nos pouvoirs se décuplent…

Je me suis subitement interrompu alors qu'une des ombres se séparait du reste de la tache sombre. De forme humaine, elle s'est avancée vers nous.

— Whit, tu ne vas pas me croire ! Je vois des fées maintenant !

CHAPITRE 48

WHIT

— Pas tout à fait, a dit la chose d'une voix qui m'a coupé le souffle.

Alors que l'ombre se rapprochait de la faible lumière, elle est devenue plus tridimensionnelle. Juste sous nos yeux, la forme est apparue, bien réelle. Et incroyablement belle.

— Celia, ai-je murmuré... Tu es venue.

— Celia ! s'est exclamée Wisty. D'où viens-tu ?

Grâce à la faible lumière qui balayait son visage, j'ai vu qu'elle nous souriait à tous les deux. Elle n'avait plus l'air aussi pâle ; je trouvais que c'était bon signe. Un signe d'espoir.

— Salut, Wisty, a dit ma copine en gratifiant ma sœur de son irrésistible sourire.

Elle s'était toujours montrée super gentille envers Wisty. Envers tout le monde, d'ailleurs : les bouffons, les athlètes, les gothiques, les enfants en bas âge – Celia ne faisait pas de distinction. Elle parvenait toujours à voir le meilleur chez les gens, et surtout chez moi.

— M... mais comment... ? a bégayé Wisty tandis qu'elle s'avançait vers nous sans un bruit.

Tout à coup, j'ai remarqué quelque chose de différent : Celia ne sentait rien. Depuis toujours, elle portait ce parfum à la rose sauvage qui, chaque fois que je le humais, faisait battre mon cœur un peu plus vite. Seulement, à cet instant, j'avais beau inhaler à plein nez, je ne détectais rien d'autre que l'odeur de moisissure de cet hôpital.

— Je peux... te serrer dans mes bras ? me suis-je risqué.

— Je ne crois pas que ça marche, mais on n'a qu'à essayer, a-t-elle proposé d'une voix pleine d'émotion. Oui, Whit, essaie... J'ai tellement besoin que tu me prennes dans tes bras.

— Je vous laisserais bien un peu d'intimité mais je n'ai nulle part où aller. Désolée. Je vais fermer les yeux.

Le plus délicatement possible, j'ai enlacé Celia et j'ai senti à nouveau son parfum. Ce n'était certainement pas ni un nuage de fumée, ni le fruit de mon imagination ; pour autant, son corps n'était pas solide à proprement parler. J'ai tenté d'écarter ses cheveux pour enfouir mon nez dans son cou – un petit rituel dont je n'avais que de merveilleux souvenirs. Si ce n'est que cette fois, je ne pouvais bouger ses cheveux.

Celia, comprenant aussitôt, a dégagé ses cheveux vers l'arrière en souriant. Jamais je n'aurais cru avoir le bonheur de la voir accomplir à nouveau ce geste. J'ai dû rêver mais j'ai eu l'impression qu'un souffle d'air frais s'engouffrait dans la cellule au moment où elle s'exécutait. Mes yeux se sont embués de larmes. C'était plus fort que moi.

— C'est pour cette raison que je t'aime, a-t-elle chuchoté. Tu as quelque chose de plus que les autres, Whit. Je ne mesure pas tout ce qui se passe, mais j'en sais plus que toi. Après t'avoir vu, j'ai mis du temps à retrouver ta trace et quelles que soient les Passeurs à qui je demandais, aucun ne semblait pouvoir me conduire à toi, ici, à l'hôpital. Le Royaume des Ombres est un endroit sombre et complexe… On s'y perd très facilement… et pendant longtemps.

— Mais après la fouine est arrivée en courant par l'un des portails du Royaume des Ombres. C'est elle qui m'a montré comment venir jusqu'ici. Je suis venue vous sortir de ce misérable hôpital, avant qu'ils vous exécutent. Le seul ennui, c'est que pour ça, on va devoir traverser le Royaume des Ombres. Whit — et toi aussi, Wisty, tu peux rouvrir les yeux —, je ne peux vous garantir qu'on arrive à ressortir. Dans ce cas, il se peut que vous soyez coincés ici pour toujours.

CHAPITRE 49

WISTY

Jusqu'à présent, la seule chose qui avait du sens à mes yeux, c'était cette histoire de fouine. J'ignorais totalement ce qu'était un Passeur et n'y connaissais rien aux portails du Royaume des Ombres. En outre, j'éprouvais encore une joie mêlée de tristesse à revoir Whit et Celia ensemble, échanger des regards langoureux, ce qui m'empêchait d'appréhender au mieux cette nouvelle réalité.

Celia était de loin ma préférée parmi les petites amies et admiratrices de Whit. D'abord, elle prenait toujours le temps de me parler, mais aussi de m'écouter. Ensuite, Celia était tout ce que je n'étais pas et que je rêvais secrètement d'être. Avant, j'avais la manie d'examiner mon reflet dans le miroir et, face à ma peau trop pâle, mes taches de rousseur surabondantes, sans oublier cette touffe de cheveux roux insupportable, je me disais que la nature, la génétique et le karma s'étaient vraiment foutus de moi.

— Euh... ai-je commencé sans savoir vraiment quoi dire... tu as trouvé notre fouine ? Imbuvable, n'est-ce pas ?

Celia a souri de plus belle – ce qui lui a donné un air de top model mais pas le moins du monde snob ni superficiel.

— Non, elle me plaît bien. Et comme elle était vivante et non pas une Semi-Lumière comme moi, j'ai tout de suite su qu'elle était importante.

— C'est quoi, une Semi-Lumière ? l'ai-je interrogée.

— Moi, je suis une Semi-Lumière parce que… eh bien… je suis morte, Wisty.

J'ai secoué la tête.

— Ne dis pas ça, Celia. Écoute… Whit et moi… enfin, je suppose que tu es au courant… il se trouve qu'on a… comment dire ?… des pouvoirs magiques. Et si on arrivait à te sauver avec ?

— Ce n'est pas aussi simple, Wisty, a poursuivi Celia avec patience. Laisse-moi t'expliquer. Les Semi-Lumières, les esprits si tu préfères, vivent au Royaume des Ombres.

Dans ma tête, un flot de questions déferlait.

— Le Royaume des Ombres ? Cela ressemble au… purgatoire ? Aux limbes ? Ce n'est pas là que vont les bébés morts ?

Celia a grimacé.

— Eh bien… non pour ce qui est des bébés morts mais oui, la réponse est oui au sujet du purgatoire et des limbes sauf que le Royaume des Ombres est en quelque sorte une dimension parallèle avec sa réalité propre. Il y a davantage que le présent, que l'ici et le maintenant auxquels tu es habituée. Bref, les Semi-

Lumières ont parfois la capacité d'emprunter des portails pour pénétrer dans votre monde. Ces portails sont des trous par lesquels communiquent les deux royaumes. Avec le temps, ils peuvent se développer mais ils sont également susceptibles de disparaître sans prévenir. Lorsqu'ils s'ouvrent, les Semi-Lumières et certaines personnes ou, parfois, des animaux qu'on appelle des Passeurs peuvent aussi les traverser. C'est le cas de votre fouine.

— Ce n'est pas exactement la *nôtre*, a rectifié Whit. D'ailleurs, ce serait un ennemi plutôt qu'autre chose. Une saleté de traître pervers.

— Quoi qu'il en soit, il vous connaît, a répliqué Celia. Et il nous a longuement parlé de vous. C'est lui qui nous a informés que votre exécution était prévue pour demain.

— Je n'en reviens pas qu'il ait révélé toutes ces informations. On ne peut pas dire qu'il est du genre coopératif d'habitude.

Celia a levé les yeux au ciel.

— Certes, au début, c'est clair qu'il ne voulait rien nous dire, mais on l'a torturé. Alors, il a parlé.

Voilà qui était intéressant.

— Torturé ?

Celia a confirmé d'un hochement de tête.

— On l'a maintenu au sol et on lui a chatouillé son petit ventre de fouine jusqu'à ce que les larmes lui montent aux yeux. À la fin, il nous suppliait presque pour tout avouer. Je doute qu'il ait envie de remettre les pieds ici.

— Je peux le comprendre, est intervenu Whit. Si je pouvais déguerpir, ce ne serait certainement pas pour revenir. Pas pour tout l'or du monde.

— À ce propos, je crois qu'il est temps d'y aller, a annoncé Celia. Il va falloir prendre le risque… et pénétrer dans le Royaume des Ombres…

J'ai acquiescé d'un mouvement de tête mais, en réalité, j'avais l'esprit ailleurs. Si Celia et Whit étaient réunis à ce moment, comment se faisait-il qu'ils ne puissent pas être réunis pour toujours ? Je voulais tellement trouver un moyen de ramener Celia d'outre-tombe pour Whit.

Une sorcière devait pouvoir y parvenir, non ?

CHAPITRE 50

WISTY

— Dépêchons-nous, nous a avertis Celia, je ne peux pas rester beaucoup plus longtemps dans votre monde. Je veux vous sortir d'ici.

— Han ! Je me demande pourquoi *on* n'y a pas pensé plus tôt, a plaisanté Whit, ce qui a fait sourire sa petite amie.

Franchement, je me demande comment elle fait : elle trouve les plaisanteries de Whit drôles alors que moi, je voudrais lui arracher la tête. J'ai déjà précisé que j'étais dingue de cette fille ?

— À la seconde où on ouvre la porte, a poursuivi Celia en effleurant la joue de Whit, vous prenez vos jambes à votre cou et vous courez jusqu'au portail du Monde d'En Bas le plus proche.

— Le Monde d'En Bas ? a relevé Whit. Celia ?

— Désolée. J'oublie toujours que c'est nouveau pour vous. Le Monde d'En Bas est constitué de tout ce qui n'est pas le Monde d'En Haut, a expliqué Celia comme si elle présentait un concept aussi évident que, disons, le beurre de cacahuète tartiné sur de la confiture. En tous les cas, c'était comme ça avant que le Nouvel Ordre ne fiche le bazar.

Nous avons dévisagé Celia avec la même incrédulité.

— Désolée. Je vais vous expliquer. Dorénavant, le Nouvel Ordre contrôle la majeure partie du Royaume d'En Haut – autrement dit, le monde tel que vous le connaissez. Le Monde d'En Bas est constitué de tout ce qui reste dans l'Univers tel qu'on le connaît, à savoir le Royaume des Ombres ainsi que d'autres dimensions.

— À l'heure actuelle, le Nouvel Ordre n'a pas la mainmise sur ces endroits. Ce n'est pourtant pas faute d'essayer. Le Seul-L'Unique cherche à tout contrôler. Et, à votre façon, vous lui mettez des bâtons dans les roues. Mais cette énigme, il *vous* appartient de la percer.

— Bon, a dit Whit sur un ton de détermination. Où est le portail ? Dans le coin toilette ?

— Non, ce portail-là a déjà disparu, nous a appris Celia. Il m'a fallu longtemps avant d'en découvrir un autre.

— Et le portail que tu as utilisé se trouve… où exactement ? l'ai-je encouragée.

— Au bout du couloir. Il faut passer devant les chiens, malheureusement. Vous foncez droit vers le mur et vous vous jetez contre lui. Vous passerez à travers, vous verrez.

— Tu rigoles ? a rétorqué Whit. Allez, Celia, sois sérieuse !

— C'est vrai que ce n'est pas juste, ai-je pleurniché. La définition d'un portail est une ouverture, non ? D'ailleurs, ma main à couper que ma prof de CM1

aurait défini un mur de briques comme étant l'anto-
nyme du terme « portail ».

— Wisty, il faut que tu me croies. Je comprends
que tu n'aies pas envie de filer droit sur un mur à toute
allure, seulement c'est le seul moyen de vous échapper.
Fais ce que je te dis.

J'ai examiné Celia avec l'espoir qu'il ne s'agisse pas
d'un canular. Était-ce vraiment la Celia que Whit et
moi, nous connaissions ? Et si c'était un piège ?

— On peut le faire ! a décrété Whit sur un ton grave
mais décidé. (Le quarterback était de retour !) Quand ?

Celia a planté ses yeux dans les nôtres.

— Dans une minute environ.

CHAPITRE 51

WHIT

Que les choses soient claires, dans le guide de la marche à suivre en cas d'urgence, l'expression « dans une minute environ » n'entre pas dans la catégorie des temps de préparation *suffisants*.

Seulement, avions-nous le choix ? Ou bien nous nous enfoncions dans un mur, ou bien nous passions à la casserole.

J'ai jeté un coup d'œil à Wisty :

— Tu as ta baguette ?

Elle l'a levée en l'air :

— Oui, chef.

J'ai fourré mon journal dans mon pantalon.

— Tu penses pouvoir faire quoi que ce soit contre les meutes enragées ? ai-je demandé à ma sorcière préférée.

Elle a haussé les épaules avec une expression de doute.

— Je vais essayer, Whit. Mais je suis encore en phase d'apprentissage.

— Voilà ce que je propose : aussitôt sortis d'ici, on traverse le couloir à fond et tu auras quelques secondes pour tenter quelque chose contre les chiens. Si tu n'y arrives pas, je piquerai un sprint comme lorsque je vais chercher à manger et je te tirerai par la main. Cours aussi vite que tu peux, même si on se fait mordre. Tu as le droit de crier mais pas de t'arrêter, d'accord ?

Wisty a dégluti, la mine inquiète mais l'air résolu.

— D'accord. Crier. Mais pas s'arrêter.

Celia a approuvé en hochant la tête.

— Je serai juste derrière toi. Et naturellement, moi, ils ne peuvent pas me mordre.

Il m'est soudain venu une horrible pensée.

— Et si la Matrone et ses affreux gardes se jettent à travers le portail, eux aussi ?

— Impossible, a garanti Celia. À moins qu'ils ne soient des Passeurs Secrets. Dans le cas contraire, si ce sont des Droits Étroits, ils vont juste s'éclater contre le mur. Ça peut être drôle d'ailleurs.

Excellent. Au moins une perspective réjouissante ! J'ai ajouté « Droits Étroits » à la liste de plus en plus longue des termes dont il faudrait que je demande la définition à Celia.

J'ai essuyé mes paumes moites sur mon pantalon. Nous nous apprêtions à « passer » de l'autre côté. Corrigez-moi si je me trompe mais ça ressemblait à une métaphore pour « mourir », non ?

CHAPITRE 52

WHIT

— Vite ! Cogne trois fois sur la porte. Trois bons coups ! m'a pressé Celia. Vas-y ! Je ne vais vraiment plus pouvoir rester ici longtemps, Whit. Mon esprit pourrait mourir.

— Comment *ça* ?

— Donne trois coups, Whit ! Je t'en prie !

Je lui ai obéi, frappant de toutes mes forces. Aussitôt après, nous avons entendu le « clic ».

Je me suis tourné vers Celia.

— Qu'est-ce qui s'est passé ?

— Whit, va-t'en ! a-t-elle crié. La porte est déverrouillée.

Celia a saisi la poignée… et failli passer à travers, sa main enfoncée jusqu'au coude.

— J'oublie toujours que je ne peux plus rien empoigner, a-t-elle marmonné.

J'ai ouvert grande la porte pour elle, pris Wisty par la main et passé ma tête par l'entrebâillement.

La Matrone avait quitté son bureau pour aller discuter avec des gardes, à une trentaine de mètres dans le couloir, sur la droite. Jusqu'ici, personne ne semblait nous avoir remarqués. Je ne m'expliquais pas qui ou *ce* qui avait bien pu déverrouiller notre porte. Était-ce un effet de mes pouvoirs magiques ? De ceux de Celia ? De Wisty ?

— Vas-y ! m'a lancé Celia à l'oreille, et Wisty et moi nous sommes précipités hors de notre cellule pour foncer en direction du bureau de la terrible Matrone.

Nous avons dérapé en tournant à l'angle du couloir juste comme la cheftaine hurlait à se casser la voix dans notre dos.

— Arrêtez-les ! Ils essaient de s'échapper ! Déclenchez l'alarme ! Tirez s'il le faut ! Oui, tirez ! Je ne veux pas de prisonnier.

Après six ou sept foulées, nous étions dans le couloir des chiens-loups. L'étage grouillait de gardes et la Matrone criait après nous d'une voix tonitruante.

— Allez ! Dépêche ! ai-je ordonné à Wisty. Fais ce que tu as à faire. Change-les en chiots. En nounours. Peu importe.

Wisty se tenait à une distance suffisante pour que les animaux qui grondaient et grognaient ne l'attrapent pas. Elle a levé sa baguette à la manière de celle d'un chef d'orchestre, comme si les chiens étaient les musiciens. Jolie image, mais cela marcherait-il ?

Du coin de l'œil, j'ai aperçu nos assaillants qui se rapprochaient.

— Statue ! a commandé Wisty tout fort en agitant sa baguette au-dessus des bêtes.

Il ne s'est d'abord rien passé, alors je l'ai attrapée par la main pour la faire avancer dans le couloir infernal.

Mais là, les jappements de ces chiens de l'enfer ont soudain cessé, les animaux étaient… figés sur place, telles des statues.

Les pattes en l'air, les gueules ouvertes goulûment, ceux qui s'apprêtaient à bondir sur nous se sont arrêtés en plein élan.

— *Yes* ! Je suis une sorcière ! s'est exclamée Wisty. Allons-y !

— Excellent ! C'est toi la meilleure, l'a félicitée Celia qui se tenait près de moi. Voilà le portail !

Elle pointait du doigt l'extrémité du couloir où un mur blanc ne présentait aucun signe de se fondre en mousse ni quoi que ce soit du genre.

— Courez ! Courez aussi vite que possible ! a dit Celia.

Je n'arrivais pas à me sortir de la tête ces vidéos que nous avions vues en cours de conduite : des mannequins ratatinés au ralenti lors de tests de crash de voiture contre le mur.

Non, me suis-je repris. *Pense plutôt : « On a gagné, on a gagné, on a gagné ! »*

La Matrone et ses hommes nous talonnaient, à mi-hauteur de la rangée de chiens statufiés, alors j'ai accéléré en direction du mur comme au temps de mes exploits de quarterback. Et là, j'ai traversé le portail comme une lettre à la poste.

Sauf que j'ai lâché la main de ma sœur. Elle a glissé et je l'ai entendu hurler mon nom.

J'avais perdu Wisty !

CHAPITRE 53

WHIT

Mes pieds ont heurté une surface dure – un sol de dalles peut-être – et j'ai roulé sur moi avant de m'arrêter.

Aussitôt, j'ai bondi sur mes jambes et hurlé :

— Wisty ! Sœurette !

Depuis le Royaume des Ombres, je la voyais, debout dans le couloir de l'hôpital. J'avais l'impression de l'observer à travers une paroi en verre, épaisse et ondulée. Celia s'efforçait d'agripper Wisty d'une manière ou d'une autre. Mais sans succès, naturellement. Un des inconvénients quand on est un fantôme.

Là, j'ai vu Wisty qui levait à nouveau sa baguette et criait :

— Je vous libère !

Sur-le-champ, les chiens enragés ont repris vie et bondi sur les vigiles et la Matrone, pour créer une montagne de chair semblable aux pyramides humaines sur les terrains de rugby lors des placages. Non seulement les chiens étaient libérés de leur mauvais sort, mais ils avaient aussi réussi à se dégager de leurs chaînes. Toutefois, un des gardes a réussi à échapper aux animaux et s'est jeté vers Wisty, son pistolet levé.

Un chien a quitté la meute pour s'élancer derrière lui en aboyant comme s'il venait d'être relâché des Enfers.

Le vigile et la bête folle n'étaient qu'à quelques centimètres de Wisty et Celia lorsqu'elles se sont élancées vers… Bref, peu importe son nom.

— Attention ! ai-je prévenu dans un cri. Derrière vous !

Wisty, les paupières closes, s'est élancée à travers le portail et m'est rentrée dedans.

— Whit ! Ça a marché !

Celia l'accompagnait et, derrière elle, le chien a sauté, les pattes avant en l'air. Il a atterri par terre dans un dérapage et paru plus décontenancé que féroce.

Sous nos yeux, le garde s'est écrasé la tête la première contre la cloison. À l'arrière-plan, on apercevait l'uniforme blanc de la Matrone qui se débattait parce que la meute de chiens continuait d'attaquer. Elle agitait ses gros bras et, tout à coup, son pistolet lui a échappé des mains et est allé tournoyer dans les airs. Pour finir, la femme a disparu sous l'hydre de gueules aux crocs aiguisés. *Ciao*.

— Voilà ce que j'appelle un coup du karma, a commenté Wisty, mais au lieu de me délecter du spectacle, j'ai tenté de prendre Celia dans mes bras, tellement soulagé qu'on soit tous parvenus sains et saufs, de l'autre côté.

Cela m'était égal d'avoir l'air ridicule et maladroit parce que j'enlaçais un fantôme. C'est ce qu'il y a de bien quand on est amoureux : on se fiche de tout.

Au même instant, un petit cri plaintif m'a forcé à tourner la tête.

— Le chien, a dit Wisty qui le fixait, s'attendant au pire.

— Non, il ne faut pas s'inquiéter : s'il est là, cela signifie que c'est un Passeur, a expliqué Celia. Les Passeurs ont accès au Monde d'En Bas, qu'ils le sachent ou non. Ce chien ne le connaissait pas. Il a dû échapper en partie au lavage de cerveau des Droits Étroits.

Ses babines se sont rétractées dans une sorte de grimace souriante mielleuse comme s'il avait voulu s'excuser de nous avoir presque dévorés. Ensuite, il a baissé la tête et s'est pour ainsi dire aplati au sol, à nos pieds.

— Il a l'air tout penaud, a constaté Celia. Si seulement je pouvais le caresser. Vas-y, toi, Wisty.

— Une autre fois, peut-être, a répondu l'intéressée. On a du pain sur la planche.

Sur ces paroles, le chien l'a toutefois couvée d'un regard triste et, dans ses pupilles marron, on ne lisait plus du tout la folie et la rage de la meute infernale.

Wisty a reporté son attention sur moi et j'ai su instantanément ce qu'elle allait me demander.

— Tu es malade, ai-je dit, avec un soupir.

— Détrompe-toi : ce n'est pas de la folie mais de la miséricorde, a-t-elle rétorqué le plus sérieusement du monde.

— Bon, d'accord, ai-je concédé en grognant. Il pourra toujours servir de chien de garde, ou un truc utile dans le style, au Royaume des Ombres.

Wisty m'a adressé un clin d'œil avant de considérer l'animal et de lui caresser une patte. Celui-ci s'est relevé avec prudence.

— Tu peux venir. C'est une femelle, a ajouté ma sœur. Je vais l'appeler Feffer.

— Va pour Feffer. Maintenant, allons rencontrer d'autres Passeurs et Semi-Lumières ainsi que localiser des portails supplémentaires.

À cet instant, un redoutable fracas a retenti et, en nous retournant, nous avons découvert le visage de la Matrone, éclaté contre le mur.

— Dommage pour elle : ça ne *passait* pas, s'est moquée Wisty, un sourire jusqu'aux oreilles. Je m'en doutais.

TROISIÈME PARTIE

DE TOUT NOUVEAUX MONDES

CHAPITRE 54

WISTY

Whit m'a serrée très fort contre lui, ce qui m'a profondément rassurée.

— On a réussi à s'échapper ! Elle ne peut plus rien contre nous désormais.

La Matrone, peut-être pas, en effet. Mais, à plus grande échelle, je n'étais pas certaine que nous ne nous soyons pas trouvés dans un endroit pire encore.

J'ai tenté de me repérer et me suis aperçue que « l'autre côté » n'était pas du tout ce à quoi je m'attendais. D'abord, il faisait froid. Pas glacial mais humide – le genre d'humidité qui vous ronge les os. Ensuite, il n'y avait absolument rien ici.

— Euh… Celia… on est où déjà ?

— Au Royaume des Ombres.

J'ai observé les alentours. Personnellement, je ne voyais pas comment le Royaume des Ombres pouvait mériter son titre de « royaume ». Il n'y avait ni arbre, ni herbe, ni bâtiment, ni eau, ni soleil, ni, d'ailleurs, quoi que ce soit d'autre que du brouillard.

— C'est chez toi… ici ? ai-je chuchoté en me recroquevillant pour me réchauffer, puis en pivotant sur moi.

Plus de trace du portail que je croyais jusque-là dans mon dos.

— Je ne dirais pas que le Royaume des Ombres c'est chez moi, non, a répliqué Celia en remuant la tête. Et j'espère qu'il en sera de même pour vous.

Je n'y voyais rien… hormis mon frère, Celia et Feffer. On aurait dit que nous étions dans une pièce avec, en arrière-plan, une toile de fond grise ; tout ce qui s'en éloignait à trois ou quatre mètres, dans n'importe quelle direction, se fondait dans un néant brumeux. Cela me perturbait terriblement de n'avoir rien où poser les yeux et j'ai soudain été prise d'une sensation terrible de claustrophobie.

— Celia… (Whit a balayé les environs d'un regard nerveux.) Il faut qu'on te sorte d'ici. Tu as pu nous faire quitter l'hôpital. On devrait pouvoir…

— Whit, laisse tomber, l'a-t-elle interrompu d'une voix douce. Tu es peut-être un sorcier, mais personne ne peut ramener quelqu'un d'entre les morts, pas même toi. Pas même Le Seul-L'Unique. Ne l'oublie pas. C'est la réalité. Et si on ne l'admet pas, on ne se remet jamais de la mort des gens qu'on aime.

Feffer s'est mise à trottiner pour aller explorer les alentours ; à moins qu'elle n'ait en réalité cherché un écureuil semi-lumière à attraper. Elle seule semblait se repérer dans cet endroit, alors j'ai décidé de la suivre.

— Qu'est-ce que tu as trouvé, Feffer ?

— Wisty, non ! a hurlé Celia.

J'ai failli m'énerver de me faire rappeler à l'ordre comme une gamine de deux ans qui s'éloigne de sa maman au centre commercial, mais je savais que Celia n'était pas du genre à stresser pour rien. Et là, je sentais toute la tension dans sa voix.

— Cet endroit peut être très dangereux pour les humains. Tes sens ne fonctionnent pas ici comme ils le font dans ton monde, et, si tu t'éloignes de Whit et moi, on risque de se perdre à jamais, surtout qu'il est possible d'emprunter un chemin qui te mène dans une dimension parallèle à la nôtre.

Je n'ai pas tout compris à son histoire de dimension, mais j'ai quand même fait demi-tour *illico presto*.

Feffer, en revanche, avait disparu !

— Feffer ! Viens ici ! (J'ai sifflé.) Reviens fifille !

À mon grand étonnement, je m'étais déjà attachée à l'ex-chien enragé.

Feffer m'a rejointe au petit trot ; je me suis agenouillée pour la câliner. Le parfum délicat de sa fourrure semblait très réel et réconfortant dans cet environnement oppressant.

— En tout cas, Feffer n'a pas l'air d'avoir eu de problème, elle, ai-je constaté, perplexe tandis que la chienne repartait en reniflant le sol.

— J'ai dit que c'était dangereux pour les humains, a clarifié Celia. Feffer est une chienne donc elle a un instinct animal. Ici, on n'utilise pas la vue pour s'orienter. Les Semi-Lumières et les autres, dotés de capacités extrasensorielles, ont bien plus de facilité à se déplacer au Royaume des Ombres. Les humains ayant emprunté un portail sont généralement ici par accident, parce qu'ils se sont perdus. Dans ce cas, il n'y a pas de retour possible.

Comme pour mieux illustrer le caractère horrible de la situation, juste au même moment, nous avons entendu une plainte, au loin. Whit, m'a instinctivement prise par la main.

— Les Égarés, a commenté Celia. Pour le moment, ils ne s'approchent pas et, croyez-moi, on aime autant que les choses restent ainsi.

— Qu'est-ce qu'ils risqueraient de nous faire ?

— Ils... (Celia, d'ordinaire impassible et posée, semblait à deux doigts d'éclater.) N'y pense pas, Wisty, c'est bien trop lugubre pour en parler. Occupons-nous plutôt de vous mettre en sécurité.

CHAPITRE 55

WISTY

— Celia ! Tu es saine et sauve ! s'est élevée une voix.

Une grande blonde – de l'âge de Whit environ – s'est approchée en effectuant de petits bonds. J'en ai déduit que cela devait être une Semi-Lumière, même si je n'aurais jamais imaginé une morte en débardeur et jupe plissée... avec un chewing-gum dans la bouche. En outre, était-il vraiment nécessaire, une fois mort, de porter des lunettes ? À moins que cela ait été un effet de mode.

— Tu as délivré tes amis ! a constaté la fille avant d'enlacer Celia du mieux qu'elle pouvait.

— Je vous présente Susan, a dit Celia. Susan, voici Whit Allgood et sa sœur, Wisty. Je t'ai parlé de Whit, tu te souviens ?

Susan a levé les yeux au ciel.

— Oh que oui ! M. Merveilleux. M. Sensible. M. Ventre-aux-carrés-de-chocolat. Je crois bien que tu as prononcé son nom une ou deux fois. Le Topitos incarné. Tu as dit que c'était l'homme parfait.

J'ai cligné des yeux. Topitos ? Ça sonnait comme une marque de chips. Celia, elle, ne semblait toutefois pas le moins du monde gênée. Whit, en revanche, a légèrement rougi.

— Bienvenue ! a dit Susan qui paraissait aussi drôle que gentille. Contente que vous ayez pu sortir de cet hôpital craignos. Ce sont les employés, les malades ! C'est là qu'on m'a exécutée. Pour avoir mâché du chewing-gum dans la rue. Si j'ai bien compris.

— Je dois les conduire tous les deux jusqu'au Monde Libre avant qu'un Égaré ne les remarque, a expliqué Celia.

— Bonne idée, a approuvé Susan. J'en ai vu plusieurs, pas plus tard qu'il y a cinq minutes. Ils ont dû sentir qu'il y avait des êtres humains dans les parages.

— Alors je propose que vous retrouviez votre copine la fouine erlenmeyer et qu'on vous accompagne quelque part où vous serez en sécurité.

J'avais un peu perdu le fil de la conversation de Susan et Celia lorsqu'elles ont mentionné ce bêcheur de Byron Swain. Je l'avais complètement oublié !

— Ce n'est pas franchement notre copain, a précisé Whit.

Au même moment, un autre concert de plaintes à donner froid dans le dos s'est fait entendre, au loin.

— Inutile d'attendre la fouine, vraiment, je vous assure, ai-je dit, soudain prise de sueurs froides.

— Cela ne pose aucun problème, a répondu Susan. On doit retrouver quelqu'un ici de toute façon. Justement, le voilà. Hello, Sasha !

Un garçon s'est approché en courant. Je commençais tellement à m'habituer aux gens à moitié transparents que l'opacité de son corps m'a tout à coup paru très étrange au Royaume des Ombres. J'en ai déduit qu'il devait être un garçon ordinaire, comme nous.

— Celia ! Tu vas bien, a-t-il constaté avec soulagement alors qu'elle nous le présentait.

Il avait l'air légèrement plus âgé que moi, mais peut-être un peu moins que Whit. Ses cheveux noirs étaient assez longs, et ses yeux, bleu foncé. Il portait à l'envers une casquette de base-ball bleu marine avec l'inscription « SEAL » dessus, tandis que sur son tee-shirt, on pouvait lire : « La liberté ne devrait pas avoir de prix. » J'ai aussi remarqué qu'il portait une bobine dont le fil pendait derrière lui pour s'enfoncer dans le brouillard gris.

— C'est comme ça que tu retrouves ton chemin ici ? Au moyen d'une ficelle ? l'ai-je interrogé.

— Ouais. J'arrive à peu près à sentir les portails, mais je préfère assurer mes arrières. Quant aux miettes de pain, elles ne sont d'aucune utilité ici. Mais on parlera de tout ça plus tard. J'ai entendu un groupe d'Égarés en venant.

Malgré son ton grave, il faisait preuve d'une certaine assurance. Sans crier gare, pourtant, celle-ci a disparu.

— Attention ! s'est-il écrié en bondissant devant nous pour barrer la voie à une forme qui émergeait du brouillard.

Fausse alerte. C'était seulement Feffer.

— Oh, vous êtes venus avec votre chien, a-t-il conclu, l'air gêné.

— Elle s'appelle Feffer, l'ai-je informé. Elle a passé le portail avec nous.

— Cool. Un chien Passeur, s'est réjoui Sasha en s'agenouillant pour caresser Feffer. Vous croyez qu'elle va s'entendre avec votre fouine ?

— Ce n'est pas *notre* fouine ! a répété Whit. D'ailleurs, ce sale rongeur a voulu nous faire exécuter.

À cet instant précis, un autre gémissement s'est élevé dans la pénombre ambiante. Les beaux yeux de Celia se sont alors teintés de tristesse.

— Sasha, il faut que tu les emmènes tout de suite au portail du Monde Libre.

Whit s'est tourné vers elle.

— Ne me dis pas que tu ne viens pas avec nous ?

— Bien sûr que je vous accompagne, mais je ne pourrai pas rester longtemps, Whit. Sinon, je risque de disparaître. Ça aussi, ça fait partie de la vie et la mort.

— Tirons-nous de là ! a dit une voix à mes pieds.

J'ai regardé par terre et failli hurler.

— Vous emportez la fouine, a commandé Susan, catégorique. À propos, elle a besoin d'un bain. Et d'apprendre les bonnes manières.

J'ai foudroyé Byron du regard.

— Non, la réponse est non, tu ne viens pas avec nous. Je ne peux pas te sentir.

Il s'est mis debout sur ses pattes arrière et a planté les billes perçantes qui lui servaient d'yeux dans les miens.

— Si je suis dans cet état, c'est à cause de toi.

— Tu as appris à une fouine à parler ? a dit Sasha, très impressionné.

— Ouais, c'est une sorcière. Et moi, j'étais un être humain, a râlé l'intéressé.

Sasha a semblé encore plus épaté.

— Justement, je te conseille de ne pas l'oublier, ai-je déclaré fièrement. Feffer ? Je te présente Byron-le-traître-bêcheur. Tu peux le manger.

CHAPITRE 56

WISTY

Feffer, malheureusement, n'a pas eu la chance de goûter à la chair de fouine, car, au même moment, nous avons repéré un élément étranger, le premier de la sorte depuis notre arrivée au Royaume des Ombres.

C'était des ombres étranges qui vacillaient puis disparaissaient dès qu'on les regardait en face ; pour rien au monde, on ne s'en serait approchés.

Celia, Susan et Sasha ont immédiatement mis un doigt devant leurs bouches afin que nous nous taisions ; ensuite, tandis que les deux filles se fondaient pour ainsi dire dans le gris, Sasha a accompli une sorte de code commando pour nous signifier de le suivre.

Avec la fouine agrippée à la jambe de mon pantalon, parcourue de tremblements à la manière de ces jouets qui frétillent quand on leur tire la queue, nous nous sommes rangés en file indienne derrière lui, puis nous avons trottiné jusqu'à ce qui – je priais pour – était la sortie.

— Sasha, je rêve ou ça s'est drôlement refroidi tout à coup ? ai-je demandé en haletant après une minute de course environ.

— C'est à cause des Égarés. Entre autres choses, ils sont connus pour absorber la chaleur des vivants.

— Ça signifie… qu'ils ne sont pas loin ?

— Arrêtons de parler, s'est-il contenté de répondre.

Soudain, il s'est immobilisé. Il tenait l'extrémité de sa ficelle en main, mais il n'y avait pas de portail.

— Quelque chose a rompu la ficelle, a-t-il annoncé, les pupilles soudain remplies de peur.

Dans notre dos, ponctuant son terrible constat, s'est déclenchée une redoutable mélopée de plaintes.

Aussitôt après, Sasha a secoué la tête, tel un nageur qui tente de faire sortir l'eau de ses oreilles, et il a disparu à vive allure dans la brume ambiante.

Byron, mort de peur au point de ne plus pouvoir s'exprimer, balbutiait de façon inintelligible pendant que nous suivions. Les gouttes de sueur froide coulaient de plus en plus le long de ma colonne vertébrale.

Là, j'ai commis l'erreur de regarder par-dessus mon épaule.

Une vingtaine d'ombres de toutes sortes – voûtées ou au contraire grandes, trapues, boitillantes, petites –, mais progressant avec la même vitesse surnaturelle, nous poursuivaient. Elles n'étaient plus qu'à quelques mètres à présent.

Leurs contours étaient flous, néanmoins l'une d'elles a semblé apparaître plus distinctement et m'a transpercée de ses yeux jaunes affreux et affamés.

J'ai alors fait une plus grosse bêtise encore : je me suis figée sur place et j'ai hurlé.

Sans attendre, Whit m'a prise dans ses bras et s'est élancé à la suite de Sasha tandis que je ne cessais de crier. Les garçons devaient se rendre compte que j'en étais incapable, car aucun ne m'a priée de me taire. Ils devaient savoir que les dés étaient jetés : soit Sasha nous menait au portail à temps, soit il échouait.

Alors, le moment serait venu de découvrir ce que les Égarés infligeaient aux gens qui n'étaient pas de leur race.

CHAPITRE 57

WISTY

— Bon ! s'est exclamé Sasha en s'arrêtant brusquement. Tenez-vous prêts.

Mon cœur a fait un bond. Me préparer mentalement passait encore. Me faire dévorer par des créatures mangeuses d'âmes sorties tout droit de l'enfer ? Pas franchement non.

Où pouvait bien être le portail ? Je ne voyais que du brouillard, du brouillard et encore du brouillard.

À cet instant, Feffer qui, en gentil chien fermait la marche à quelques mètres de là, s'est mis à pousser des cris plaintifs.

— Feffer !

J'ai aussitôt interrompu mes pleurnicheries et hurlé au moment où la chienne qui ne se contrôlait plus passait au galop à travers une nappe de brouillard, laquelle, me suis-je tout à coup rendu compte, semblait tourner sur elle-même à l'instar d'un bain bouillonnant. Feffer saignait. Beaucoup. On aurait dit qu'on lui avait entaillé le flanc gauche. Quant à la terreur dans ses yeux, elle la faisait davantage ressembler à un chiot terrorisé qu'à un ancien membre des meutes infernales du Nouvel Ordre.

Mais avant que j'aie le temps de la prendre dans mes bras pour la consoler, elle est repassée à côté de moi et a sauté dans le tourbillon vaporeux pour disparaître complètement.

— C'est le portail qu'on cherchait, a annoncé Sasha. Allez-y, tous les deux. Et faites bien attention : le monde libre peut être sauvage.

Le « sauvage », je pouvais gérer : j'aurais volontiers signé pour une expédition en camping, entourée de jaguars affamés. Tout plutôt que ce décor cauchemardesque. Seulement, je me voyais mal en rire devant Sasha. D'ailleurs, mes dents claquaient trop fort pour que je puisse parler.

Il faisait désormais si froid que ça brûlait. Et le pire, c'est que le froid venait d'en face.

L'un des Égarés – sans que l'on sache comment – avait réussi l'exploit de s'interposer entre le portail et nous.

Il incarnait un mélange de douleur, de haine et de souffrance. Néanmoins, il y avait quelque chose d'extrêmement dérangeant, car vaguement humain, dans ce visage d'ombre. Il était dépourvu de peau et, là où l'on se serait attendu à voir un front, des joues, un nez, se trouvait une surface sans contours précis, brumeuse. Les yeux, sans pupille, réduits à de simples fentes jaune orangé, vacillaient à l'instar de flambeaux tels qu'on devait en voir sur les murs de l'enfer.

J'aurais voulu pouvoir crier à pleins poumons, mais l'effroi, combiné à l'air glacial, me paralysait.

J'ai plissé les yeux pour me protéger du souffle cinglant, témoin impuissant de la scène – le cercle des Égarés se refermant sur nous. Nous étions cernés.

Là, avec une force et un courage que je ne m'expliquais pas, Sasha a fait un pas vers celui qui se tenait juste devant le portail et, sans tenir compte de ses doigts crochus, il l'a défié en soutenant son regard morbide.

— Tu nous as eus, a-t-il dit, mais laisse-moi t'expliquer un truc. (Il a enfoncé une main dans la poche de son pantalon pour en sortir un morceau de papier.) C'est une carte. Grâce à elle, je peux te montrer comment trouver un portail – pas un dans ce style qui ne fonctionnera pas pour votre peuple – un autre, qui vous permette de sortir du Royaume des Ombres. Un chemin pour rentrer chez vous.

À sa façon, la créature a semblé comprendre et apprécier à leur juste valeur les paroles de Sasha.

Alors, d'un grand geste de la main, ce dernier a froissé le papier et l'a jeté par terre, ce qui a contraint la créature à bondir pour le récupérer en émettant un cri de colère assourdissant.

Aussitôt, Sasha nous a carrément empoignés, Whit et moi, pour nous faire sauter à travers le portail, cette sale fouine de Byron toujours collée à mon pantalon.

J'ai ressenti un genre de picotement électrique qui s'est amplifié progressivement jusqu'à ce que tout mon corps se mette à trembler, comme s'il avait été secoué à l'arrière d'un chariot tiré par des chevaux sur une route pentue et cahoteuse, à quatre-vingts kilomètres à l'heure.

Alors, la traversée a paru prendre fin, et nous avons émergé de l'autre côté, dans ce qui ressemblait au dehors. Nous avons été accueillis par une brise ; cela faisait un bien fou. À croire qu'aucun vent frais ne m'avait caressé la peau depuis des années.

Stabilisée, sur mes deux jambes, j'ai balayé des yeux les alentours et me suis immobilisée aussi sec, sous le choc.

CHAPITRE 58

WISTY

Nous nous trouvions sur une pente latérale sèche, couverte de gravats. Elle n'avait rien de spécial si ce n'est que le soleil, qui brillait haut dans le ciel bleu, l'inondait. Après ces moments d'horreur au Royaume des ombres, j'étais en quelque sorte subjuguée par la beauté du monde réel.

— Alors les Égarés essaient de s'échapper du Royaume des ombres ? a demandé Whit à Sasha tandis qu'on s'époussetait.

— Ouais, soi-disant c'est la raison pour laquelle ils s'accrochent aux humains de cette façon ; ils veulent qu'on les aide à s'évader. Et lorsque leur plan échoue – à chaque fois – ils se rabattent sur la perspective de voler la chaleur corporelle et de dévorer la chair des humains.

— Mais tu leur as donné la carte. Cela signifie que, maintenant, ils peuvent trouver eux-mêmes l'entrée du monde réel ?

— Eh bien, *primo*, je doute qu'ils sachent lire, *secundo*, je ne suis pas certain qu'ils puissent survivre dans le monde réel – en tout cas, je n'espère pas – et, *tertio*, ce n'était pas une carte mais la liste des choses que je dois faire en rentrant.

— Donc tu as tout inventé au dernier moment et tu as trompé ces créatures pour qu'on puisse s'échapper ?

L'intéressé a haussé les épaules et s'apprêtait à répondre lorsqu'une plainte aiguë a tout à coup déchiré l'air.

— Attention ! s'est écrié Sasha en me rentrant dedans pour me plaquer violemment à terre.

Le choc m'a coupé la respiration.

Je haletais à la manière d'un poisson hors de l'eau quand un sifflement perçant et d'une puissance incroyable m'a soudain assourdie.

Boum ! J'ai fermé les paupières et le sol a été secoué avec la violence d'un tremblement de terre. Sasha m'a serrée plus fort, couvrant ma tête de ses mains. Je le connaissais à peine mais il me plaisait déjà.

Boum ! Les explosions ont redoublé, accompagnées d'une pluie de poussière, de boue et de décombres qui s'est abattue sur nous.

— Wisty ! a hurlé mon frère.

Mes poumons se sont vidés du peu d'air qui restait alors que je criais :

— Whit ! Feffer !

Je n'y voyais pas grand-chose à cause du nuage de poussière qui nous entourait.

Passé un temps qui m'a paru interminable, les secousses se sont interrompues, et le poids de Sasha, sur moi, s'est enfin allégé. Au bout d'une minute, l'orage – ou peu importe ce dont il s'agissait – s'est calmé.

— Wahou ! a lâché Sasha, un grand sourire aux lèvres.

Il avait le visage recouvert d'un épais masque de poussière, troué uniquement au niveau des yeux et de la bouche. Il me rappelait ces clowns qui font peur dans les cirques. J'imagine que je devais provoquer le même effet.

— Désolé si je t'ai écrasée, s'est-il excusé gaiement.

— Il n'y a pas de mal, j'ai connu bien pire.

Je me suis redressée avec peine. Byron, telle une écharpe en vison, m'étranglait. J'ai essuyé la poussière de mes yeux et secoué mes vêtements en toussant avant de jeter des regards autour de moi.

— C'était quoi ? ai-je demandé en découvrant enfin Whit, Feffer, puis Celia.

— Une bombe, a expliqué Sasha. (Il s'est relevé et épousseté à son tour.) Tout le monde est en un morceau ? On a dû atterrir dans une zone de guerre ; ça arrive fréquemment.

À l'entendre, c'était aussi ordinaire que de se tromper d'itinéraire jusqu'à la boulangerie la plus proche.

En balayant les environs du regard, j'ai découvert des bâtiments à moitié détruits et ce qui avait dû autrefois être le quartier résidentiel d'une grande ville. Les cratères creusés dans le sol étaient assez grands pour contenir un camion. La poussière et les gravats recouvraient tout. Un mélange de tiges métalliques tordues, bris de verre, câbles électriques et blocs de ciment formaient une dangereuse surface sous nos pieds.

— On nous bombarde ? Qui ? me suis-je inquiétée.

Je tremblais toujours, de même que Byron. Cette sale vermine me grimpait désormais sur l'épaule pour s'agripper à mes cheveux.

— Descends de là, toi !

— Le Nouvel Ordre procède à des bombardements quotidiens, nous a appris Sasha. Ils savent qu'il y a des enfants comme nous qui se cachent ici, alors ils procèdent à des raids aériens. Après seulement, ils cherchent les cadavres. (Il a dégagé ses cheveux de ses yeux.) Ça force à rester alertes, pas vrai ?

— C'est clair : rien de tel qu'une petite onde de choc, a commenté Whit, incrédule.

Sasha est redevenu sérieux.

— On va s'occuper de vous mettre en sécurité tout de suite.

— Attends, l'ai-je interrompu. Whit et moi, on doit retrouver nos parents. On va continuer seuls. Je veux dire… merci et tout…

Le regard de Celia a croisé celui de Sasha et, contrairement à d'habitude, ce dernier a paru fermé et ombrageux.

— Hum… je propose qu'on en parle, Boucles Rousses.

Je lui ai adressé un regard noir.

— Je te déconseille les surnoms ayant rapport avec la couleur de ses cheveux, a dit Whit.

— Ce qu'il y a, a poursuivi Sasha, c'est que c'est risqué de continuer de votre côté. (Il a retiré sa casquette de base-ball et l'a tordue entre ses mains, ses cheveux noirs de jais tombant devant ses yeux.) Désolé, Taches de Son.

CHAPITRE 59

WISTY

— Mauvaise pioche pour le surnom là aussi, l'a avisé Whit. Poil de Carotte est à bannir de la même façon.

— Peu importe, on doit trouver ma mère et mon père. C'est notre mission : la famille d'abord, ai-je déclaré, catégorique.

Celia s'est approchée et a tendu la main. J'ai senti une brise légère ébouriffer mes cheveux et lu la compassion dans ses yeux.

— Wisty, écoute, s'il te plaît.

Sasha, dans un soupir, a englobé les alentours d'un grand geste.

— Regarde un peu ces ruines. Toute la ville ou presque est dans cet état-là. Le NO est en train de s'emparer des communautés qu'il juge « dignes » pour les modeler à son image. Quant au reste... ils se contentent de tout raser. Bye-bye, ils sont complètement rayés de la carte.

— C'est affreux, je suis d'accord, mais quel rapport avec nos parents ?

— Ouvre grandes tes oreilles, mon amie : la situation est critique partout, a-t-il repris. J'ignore où tes parents ont pu être emmenés ni même s'ils sont encore… en vie.

Sa voix s'est changée en murmure sur ces deux dernières syllabes.

Je l'ai fixé droit dans les yeux, sentant la pâleur me gagner.

— Celia, tu nous as sauvé la vie. Tu as réussi à nous sortir de prison alors pourquoi ne pourrais-tu pas nous aider à retrouver nos parents ? Ils sont vivants. J'en suis persuadée.

Whit a dévisagé Celia à son tour et, dans ses yeux, je pouvais lire son approbation. Celia a pris un air affligé mais sans rien répondre pour autant.

— Bon, a commencé Sasha en lui adressant un regard que je n'ai pas su décoder, allons nous mettre à l'abri pour l'instant. On avisera une fois dans le Monde Libre.

J'en avais assez de leur ton de complaisance. J'ai croisé les bras et tapé du pied à la manière d'une gamine de deux ans dans un centre commercial.

— Je ne bougerai pas d'un pouce tant que je n'aurai pas obtenu de réponse satisfaisante à ma question.

— Wisty, a dit Celia sur un ton d'urgence, c'est vraiment dangereux ici. Il y a même pire que des bombes. On ne sait pas encore où sont tes parents. Et tu ne pourras rien pour eux… si tu es morte.

CHAPITRE 60

WHIT

— Pas un geste, les enfants. Montrez-moi vos pièces d'identité. Immédiatement !

Ils devaient être une dizaine. Allez, disons onze. Des garçons, entre la fin de l'adolescence et le milieu de la vingtaine, tous musclés.

J'ai avancé d'un pas vers eux.

— Ça vous dérangerait de nous dire qui vous êtes avant qu'on vous montre quoi que ce soit ? Dans un quartier pareil, on ne sait jamais.

Le porte-parole des malabars devait avoir une vingtaine d'années à peine. En l'apercevant debout, sur la pointe des pieds, j'ai conclu qu'il cherchait la bagarre.

— Tu devrais savoir qui nous sommes. Le Nouvel Ordre. La patrouille civile. On traque les vagabonds et les personnes recherchées. Il nous faut vos papiers. Désolé, mais c'est la loi, l'ami.

Wisty était venue se poster à mes côtés.

— Et si vous nous montriez d'abord *vos* papiers, *l'ami* ? a-t-elle lancé.

Entre-temps, un groupe d'une cinquantaine ou d'une soixantaine de badauds s'était formé, ce qui n'était pas bon pour notre matricule.

— Je m'en charge, OK ? ai-je proposé.

— OK, a répondu ma sœur en haussant les épaules.

— Pourquoi est-ce qu'on ne passerait pas chacun notre route, histoire de rester *amis* ? ai-je dit au porte-parole.

J'avais l'intention de continuer les pourparlers, seulement il avait déjà sorti une matraque en acier. Tout autour, la foule s'amplifiait, de plus en plus bruyante.

— Patrouille civile, mes fesses ! Ce serait plutôt le club des aspirants dictateurs, les a provoqués Wisty avec sa diplomatie habituelle. Vous devriez vous voir, avec votre air d'abrutis. C'est pathétique.

Ils ont aussitôt pris la mouche et sont passés à l'attaque, agitant leurs matraques à l'unisson, portés par les cris des badauds du quartier.

— Je prends les choses en main, ai-je déclaré en éloignant Wisty. J'en suis parfaitement capable.

— Je vois ça. Ouah ! Whitford !

Ce qu'elle voyait, c'est que la patrouille civile semblait bouger au ralenti, mais il ne s'agissait que d'une impression. En réalité, c'était moi qui me déplaçais très, très vite. J'avais eu raison de me sentir de taille à les affronter.

J'ai arraché la matraque des mains du chef de la bande, puis au moyen d'un tacle dans les jambes, je lui ai fait perdre l'équilibre et l'ai mis K-O d'un coup de poing alors qu'il tombait sur le trottoir.

Je me déplaçais si vite que je n'étais qu'une masse confuse, invisible pour eux. Je leur ai confisqué tous leurs bâtons pour les jeter dans le caniveau avant de leur régler leur compte l'un après l'autre, sauf une fois où j'en ai calmé deux d'un coup. À la fin, ils gisaient tous au sol, éparpillés ici et là, geignant de douleur.

— Maintenant, si on jetait un œil à ces papiers ! ai-je rugi, debout, au-dessus d'eux, mais Sasha m'a tiré par le bras et nous avons remonté la rue en courant pour tourner à l'angle.

— Impressionnant, a-t-il commenté.

— Besoin d'un peu d'entraînement, ai-je répliqué. Mais je crois que je vais finir par m'habituer à tous ces trucs de sorcier.

Celia, pendant ce temps, m'avait rejoint et se pendait à mon bras, légère comme une plume.

— Incroyable, Whit ! Tu m'as bluffée !

— C'est sûr que tu as du potentiel, a reconnu ma sœur en souriant à pleines dents.

L'espace d'un instant, j'ai goûté l'illusion que tout était comme avant, comme dans mes rêves, ceux auxquels j'aspirais dans la vie.

Mais l'illusion s'est vite dissipée.

CHAPITRE 61

WISTY

Après la démonstration des talents de Whit, Sasha nous a conduits dans une rue pratiquement déserte vers un bâtiment à la façade criblée d'impacts de balles et portant les traces d'offensives de missiles. Je n'en croyais pas mes yeux. Cette tragédie s'était-elle produite pendant que nous étions détenus à l'hôpital ? Ma notion du temps paraissait tellement faussée.

— La vache ! Moi qui pensais m'être absenté assez longtemps pour échapper à tout ça. Tous ces bombardements… a regretté Sasha en secouant la tête. Je pensais qu'ils seraient terminés.

— Qu'est-ce que tu veux dire ? ai-je demandé.

Les épaules de Sasha se sont soulevées.

— Je n'ai passé que deux ou trois heures au Royaume des Ombres.

Whit a froncé les sourcils.

— Et tu pensais vraiment que ça allait suffire au Nouvel Ordre pour revenir à la raison et cesser les bombardements ?

Sasha nous a adressés, à mon frère et moi, un regard de surprise.

— Vous n'êtes pas au courant ? Celia… ?

— Je n'ai pas eu le temps de tout leur expliquer, a-t-elle admis. On était concentrés sur notre évasion.

— Qu'est-ce qu'il y a ? ai-je voulu savoir.

— Beaucoup de choses ! Pour commencer, le temps est différent au Royaume des Ombres, a expliqué Sasha sans décélérer. Dans ce cas, par exemple, j'ai eu l'impression de partir un mois environ ; ça varie d'une fois sur l'autre. Cela dépend du portail qu'on emprunte. Un jour, j'ai remonté le temps et, en rentrant, j'ai découvert qu'on était plus tôt dans la matinée.

Whit et moi avons échangé un regard, privés du moindre indice qui nous permettrait de savoir combien de temps s'était écoulé depuis notre capture. Nous avions tant de questions !

Et visiblement, la fouine aussi.

— Serait-il possible de remonter le temps au jour du shampooing pour Wisty ? Bientôt, ses cheveux vont se transformer en dreadlocks.

— Fiche-moi le camp d'ici, espèce de petit ingrat ! (Je l'ai décollé de mon cou et l'ai posé sur le dos de Feffer.) Tu es plus gentille que moi. Je te présente ton nouveau meilleur ami.

La chienne a remué la queue et aboyé avec bonhomie. Difficile de croire qu'elle avait autrefois fait partie des meutes de l'enfer !

Là, Sasha s'est arrêté net, le doigt pointé devant lui.

— On y est ! Territoire de gravats mais c'est chez nous ici ; c'est là qu'on a élu domicile avec d'autres. Ce n'est pas Byzance, c'est même un peu craignos sur les bords, mais on l'a retapé du mieux qu'on a pu.

J'ai levé les yeux et lu les lettres de néon qui, pendues à l'extrémité de câbles, continuaient à faire la promotion du « grand magasin le plus luxueux au monde ». Jamais je n'avais pu me résoudre à mettre ne serait-ce qu'un orteil à l'une des adresses de cette enseigne.

— Chez Garfunkel ? ai-je haleté. C'est ici qu'on va vivre ?

L'espace d'une seconde, je me suis sentie l'âme d'une reine.

CHAPITRE 62

WHIT

Nous avions beau être confrontés à l'angoisse de ne rien savoir sur nos parents – où ils se trouvaient, comment ils allaient à cet instant –, la voix de Wisty a trahi un certain enthousiasme lorsqu'elle a prononcé le nom du grand magasin.

— Je suppose que, pour toi, c'est un rêve de petite fille qui se réalise, n'est-ce pas ? lui ai-je demandé.

Elle m'a répondu d'un sourire ironique tandis que Sasha nous ouvrait la voie en empruntant un des tourniquets, l'autre ayant été détruit par une roquette ou, peut-être, un tank échappé au contrôle de son conducteur.

— Absolument, a confirmé ma sœur. D'abord, on nous enlève à nos parents, on nous emprisonne, on nous affame, on nous électrocute, on nous prive de tous droits et de toutes libertés de base humains, *et cætera*. Et maintenant, là ! Juste sous mes yeux : le paradis du soutif !

Je m'apprêtais à lui lancer en plaisantant que, pour que ce soit le paradis, il faudrait encore qu'elle ait besoin d'un soutien-gorge, quand elle m'a menacé de sa baguette. Je l'ai aussitôt bouclée.

— On n'a pas l'électricité ici, nous a informés Sasha alors qu'on montait un Escalator qui, fatalement, ne fonctionnait pas. Mais vous savez à quel point le parfum est inflammable ? Un des mecs a installé un générateur à combustion et on peut faire fonctionner un ordinateur portable pendant deux heures rien qu'avec un mini flacon.

Là, il m'est soudain venu une idée terrible qui m'a fait l'effet d'un uppercut dans les dents : et si l'un de ces enfants avait encore ses parents ? Nous arrivions au cœur du magasin. J'ai jeté des regards tout autour de moi et songé : *chacun de ces enfants, qu'il soit semi-lumière ou pas, a une histoire. Une histoire peut-être pire encore que la nôtre.*

— Vous êtes combien à vivre ici ?

— Je dirais dans les deux cent cinquante, a estimé Sasha, sans compter les Semi-Lumières qui vont et viennent. Ils ne peuvent pas rester très longtemps, sinon...

— Inutile d'entrer dans les détails, l'a coupé Celia, nerveuse.

Elle était tellement différente de la Celia, hyper détendue, que je connaissais. Je mourais d'envie de la serrer contre moi et de lui promettre que tout irait bien pour la rassurer. Mais jamais plus je ne pourrais vraiment étreindre, à proprement parler, ma petite amie. Quant à lui promettre que tout irait bien, c'était impossible aussi.

— On a fondé notre propre société de gens topitos, a commencé Sasha, avec, notamment... tadaaa ! Le chef de la semaine !

Il nous avait conduits à des bureaux, au bout d'un couloir. Sur place, assise à un poste de travail, derrière une porte au signe « GÉRANT » en cuivre, se tenait une fille qui devait avoir dans les quinze ans tout au plus. Elle était concentrée sur son ordinateur dont elle tapotait avidement le clavier.

Un gros câble courait depuis l'arrière de la machine jusqu'à ce qui ressemblait à une petite poubelle métallique, à cinq ou six mètres de là. Je détectais une odeur de fumée et de citron brûlé en provenance de l'ordinateur alimenté au parfum. Argh. Je ne verrais plus jamais le parfum comme avant.

La fille, plutôt mignonne, a levé les yeux et dégagé ses longues boucles brunes par-dessus son épaule. Sur son visage, sans maquillage, ça disait : « On ne me la fait pas, à moi ! » Elle portait une salopette en jeans sur un tee-shirt taché.

— Sasha ! s'est-elle exclamée. Ça fait un bail ! Quarante-trois jours si je ne m'abuse. On a eu besoin de toi, ici.

— Non pas que je veuille me défiler mais c'est Celia qui dirigeait les opérations sur ce coup-là, a-t-il précisé. En plus, rappelons qu'elles se sont soldées par une victoire écrasante. Seulement, il n'y a pas moyen de garder trace de ces portails vers le Royaume des Ombres. Sans oublier qu'on avait une évasion de prison à organiser.

— Whit et Wisty, nous a-t-il interpellés en se tournant vers nous, je vous présente mon ancienne coéquipière et la chef de la semaine – d'où le fait qu'elle soit dans le bureau du gérant, avec un badge du même titre : Janine !

— Salut, a dit l'intéressée sans sourire. (Ne prenant pas la peine de se lever, elle a tendu le bras pour me serrer la main comme si j'étais un candidat à un entretien d'embauche.) Bienvenue. (Elle s'est ensuite adressée à Celia :) Tu as libéré d'autres enfants de l'hôpital ?

Celia a répondu « non » de la tête.

— Il n'y en avait qu'un autre au même étage et il n'était pas franchement en état d'être… libéré.

Janine a hoché la tête.

— Quel dommage de constater que les Droits Étroits s'en prennent aux enfants. Enfin, le combat continue !

— Le combat continue ! a répété Celia avant de me regarder. Whit, il faut que j'y aille, mais je te promets de faire ce que je peux pour revenir.

« Faire ce que je peux »… Ça sonnait comme les cloches d'une église avant un enterrement.

CHAPITRE 63

WHIT

Si vous avez déjà perdu un proche, vous pouvez imaginer ce que j'ai ressenti. J'étais fou de Celia. Et qu'on me l'arrache de cette manière, plusieurs fois d'affilée, était tout simplement insupportable.

Je lui ai fait signe de me rejoindre derrière une de ces cloisons couvertes de miroirs comme on en trouve dans les grands magasins afin que nous ayons un peu d'intimité.

J'ai tenté de lui prendre les mains en serrant leur contour flou dans les miennes.

— Je t'en supplie, reviens, lui ai-je demandé en la fixant droit dans les yeux. Je ne peux pas supporter de te perdre à nouveau.

Elle a acquiescé d'un mouvement de tête et m'a souri.

— Tu penses bien que je ne demande pas mieux, Whit. Je suis tellement… tellement heureuse que tu sois en vie. C'est *toi* qui me manques le plus dans tout ça. Oh oui ! Tu me manques terriblement.

Alors, Celia a fait un truc auquel je ne m'attendais pas du tout.

Elle s'est approchée de moi. Très près. Vraiment très près. Jusqu'à ce que je ne puisse plus la voir mais seulement la sentir, avec une intensité et une proximité jusqu'ici inégalées.

Là, nous nous sommes fondus l'un dans l'autre. Littéralement. Comme si nous n'avions été qu'une seule et même personne.

J'éprouvais une sensation de chaleur, de sérénité, de beauté à l'état pur. Je faisais partie de Celia, elle faisait partie de moi. Cela n'a beau avoir duré qu'un instant, l'émotion a paru si forte qu'elle m'a semblé pouvoir se prolonger toute la vie. Je savais que je n'oublierais jamais ce moment. Comment aurais-je pu ?

Celia a fini par se séparer de moi et, après m'avoir envoyé un baiser volant, elle a couru jusqu'au portail le plus proche, situé apparemment dans le rayon des chaussures pour enfants. Là, elle a disparu.

Honnêtement, j'ai eu l'impression qu'on m'arrachait une partie de moi. Je suis resté debout quelques minutes, près des baskets et des chaussures de sport montantes, à sécher mes larmes. Je me sentais incapable de raconter aux autres ce qui venait de se passer, même à Wisty.

Je me voyais mal décrire comment Celia et moi n'avions fait qu'un… avant qu'elle disparaisse à nouveau sous mes yeux.

CHAPITRE 64

WISTY

— Qu'est-ce que vous entendez au juste par le « chef de la semaine » ? ai-je interrogé Janine.

C'était la première question d'une longue série qui s'étendrait au cours des prochains jours. Et à cet instant, pendant que Whit et Celia parlaient – ou faisaient Dieu sait quoi d'autre – je tentais d'en savoir plus sur la vie chez Garfunkel.

— Les adultes ont largement démontré que le pouvoir corrompt, a déclaré Janine sur le ton d'un candidat à des élections (à juste titre !). Reste qu'il est nécessaire d'avoir quelqu'un aux commandes, un décisionnaire, sinon c'est l'anarchie. Donc, nous élisons un chef qui change toutes les semaines ; celle-ci, c'est mon tour.

— Le chef qui arrive, a développé Sasha, passe une journée avec le chef sortant qui lui explique les ficelles. (Il s'est penché sur le bureau de Janine.) Et au cours du dernier jour, il forme à son tour la personne suivante. Ça fonctionne très bien. D'ailleurs, la semaine du 22 septembre s'est déroulée à merveille.

Janine a levé les yeux au plafond.

— Ça va, j'ai compris : c'était toi le chef.

Il a souri jusqu'aux oreilles.

— C'était des temps féconds en matière de révolution. Dans les cercles d'intellectuels, on parle encore de mon décret sur l'évacuation volontaire du papier toilette par chasse d'eau.

Janine lui a lancé un regard avant de se tourner vers moi.

— Nous avons beaucoup de chance de vous avoir, Whit et toi, a-t-elle avoué. On a besoin de vos compétences.

— Nos *compétences* ? Comme changer les crétins en fouines par exemple ?

— D'une certaine façon, oui, a répondu Janine avec prosaïsme. Il semblerait que vous soyez bien plus puissants que les autres sorciers qu'on ait rencontrés.

— Vous en avez trouvé d'autres ? ai-je relevé, interloquée.

— Si on veut, mais d'après ce que j'ai cru comprendre, vous ne concourez pas dans la même catégorie. En tout cas, pas dans celles des lapins qui sortent des chapeaux, ça c'est sûr, a-t-elle ajouté en ignorant mon air abasourdi. Je suppose qu'on en aura le cœur net demain soir, lors du raid. Nos troupes vont faire sortir des enfants de la prison du Monde d'En Haut.

— Désolée, Janine, ai-je dit en secouant la tête, mais on a déjà averti Sasha qu'on voulait avant tout retrouver nos parents.

La fille m'a brusquement saisie par le bras.

— Tu dois nous aider, Wisty. Il s'agit de la maison de redressement du Nouvel Ordre, la même où on vous a emmenés après votre arrestation. Dans le Monde Libre, on l'a baptisée la prison du Monde d'En Haut parce que c'est un endroit affreux. Tu comprends que la vie de plusieurs enfants est en jeu, n'est-ce pas ?

— Écoute, j'y suis allée donc je sais à quel point c'est terrible comme endroit, seulement il faut que tu comprennes que notre priorité absolue reste nos parents. Point barre.

Janine ne m'avait toujours pas lâchée.

— Tu crois la connaître mais tu ignores réellement la cruauté du Monde d'En Haut. Tu ne te rends pas compte. (Elle a lancé un coup d'œil à Sasha.) Emmène-les voir Michael Clancy.

CHAPITRE 65

WISTY

Whit était revenu après sa discussion avec Celia et cela n'avait pas l'air d'être la grande forme. Pire, ça avait l'air d'être la cata. Pour lui, en tout cas. Il semblait à bout de nerfs et traînait des pieds.

— C'est qui, Michael Clancy ? m'a-t-il demandé.

— Aucune idée. Quelqu'un qu'ils veulent qu'on aille voir à propos d'une évasion de prison. (J'ai haussé le ton afin que Sasha, qui marchait devant, entende.) Qui est ce Michael Clancy ? l'ai-je interrogé à mon tour.

— Il est juste là, a annoncé Sasha en ouvrant les portes d'une petite pièce sombre, meublée d'un unique matelas par terre.

— Bonjour, je m'appelle Michael, s'est élevée une voix douce. Qu'est-ce qui vous amène ?

— Raconte-leur ton histoire, l'a invité Sasha avant de se tourner vers nous. Asseyez-vous avec Michael et écoutez bien. Vous n'avez qu'à vous installer sur son matelas : il y a plein de place.

En effet, ce n'était pas la place qui manquait étant donné que Michael devait être l'un des enfants les plus squelettiques que j'aie jamais vus. Il me rappelait des images de victimes de la famine ou de réfugiés dans des camps, ce qui a ravivé mes souvenirs de la prison du Monde d'En Haut.

— Salut, Michael.

— Salut, Mike, a dit Whit.

Le garçon, non seulement dépérissait, mais ses yeux me semblaient également morts. Pourtant, je décelais quelque chose d'intense chez lui.

Il ne nous a jamais demandé comment nous nous appelions, préférant entamer son récit de but en blanc.

— Notre mémoire nous joue de vilains tours, vous le savez, n'est-ce pas ? N'empêche, je suis certain qu'il y a une part de vérité dans ce que je m'apprête à vous raconter, même si tous les détails sont faux, ce qui m'étonnerait mais bon, on ne sait jamais.

— Comme tu voudras, Michael, ai-je répondu afin de lui prouver qu'il avait toute notre attention.

À l'entendre, il semblait beaucoup plus âgé que son apparence le laissait penser. Je redoutais presque d'apprendre ce qui lui était arrivé.

— Les soldats, tous vêtus de noir, leurs bottes briquées comme des sous neufs, sont venus nous chercher à la prison, ce matin-là. Il faisait déjà jour, si mes souvenirs sont bons. On était une quarantaine, au moins, dans cette section de la prison, entre cinq et seize ans, des filles comme des garçons, de toutes les couleurs de peau. Et tous considérés comme « extrêmement dangereux ».

— Ils nous ont escortés jusqu'à une cour. Sur place, il n'y avait pas plus de deux gardes et ils ne devaient donc pas s'attendre à une riposte de notre part. Comment aurions-nous pu nous révolter de toute manière ? Nous étions si fatigués… affamés… Il soufflait un vent incroyable, proche de la tornade, quand, tout à coup, un type grand et chauve a surgi de nulle part. Il sentait l'amande, si je me souviens bien. Il n'a pas desserré les mâchoires, même pas pour se présenter, mais, personnellement, je le soupçonnais d'être Le Seul-L'Unique. Il nous toisait avec un tel dédain, vous auriez dû voir… Comme si nous n'étions pas dignes d'être en sa présence. Puis, il a donné un coup de poignet. Comme ça. Aussi simplement que ça. Tous les prisonniers sont partis en fumée ! Envolés ! Comme évaporés… ne laissant derrière eux qu'une odeur de chair brûlée. Ensuite, l'homme a disparu à son tour tandis que je restais sur place comme vous me voyez là. Ne me demandez pas pourquoi il m'a épargné. Je n'en ai aucune idée. Cela m'est égal aujourd'hui.

Michael Clancy a jeté un regard à Sasha avant d'ajouter :

— Voilà, je leur ai raconté mon histoire. Maintenant, emmène-les.

CHAPITRE 66

WISTY

J'ai mis plusieurs heures à me remettre de l'épisode Michael Clancy et de ce qu'il nous avait raconté.

Vous avez déjà dû assimiler un si grand nombre d'informations tragiques, ambiguës et complexes que vous avez l'impression que votre tête va exploser ? Imaginez cette sensation, puis mangez un truc qui vous dégoûte et vous donne envie de vomir pendant des heures par la suite, et vous aurez une petite idée de la façon dont je me sentais.

Mais d'abord, récapitulons :

1. Moi, Wisty, fille sans histoires, apprends que je suis en réalité une sorcière tandis que mon frère, athlète au ventre plat, découvre qu'il est un sorcier. Le seul hic : ni lui ni moi ne savons comment contrôler nos pouvoirs.

2. Whit et moi avons été condamnés à mort par un individu insidieux nommé Le Seul-L'Unique.

3. Quant à mes parents, ils sont recherchés pour trahison. On ne sait toujours pas où ils sont ni même s'ils sont encore en vie.

4. On nous a torturés dans une prison censée être protégée contre la magie, ce qui signifie que nos pouvoirs sont peut-être plus grands encore que ce qu'on pensait.

5. Le fantôme d'une fille – qui n'est autre que l'amour de jeunesse de mon frère – est apparu pour nous libérer de la prison en question.

6. J'ai transformé Byron Swain en fouine. Ça, en revanche, je n'en suis pas peu fière.

7. Il n'y a pas un monde mais *des* mondes : le Royaume des Ombres, le Monde Libre, le Monde d'En Haut, le Monde d'En Bas – il y a où s'y perdre.

8. Et à la tête d'un de ces mondes, une bande de gamins… installés dans le bureau du gérant d'un magasin à moitié démoli. Ce n'est pas le paradis mais, au moins, il y règne encore un semblant de liberté.

9. On me demande de participer à une opération pour faire s'évader des enfants de prison et empêcher qu'ils ne soient réduits en fumée. Même s'il n'y a aucune garantie que ça marche et qu'ils risquent aussi bien de se faire tuer.

Bon, ça faisait beaucoup de choses à avaler, mais parfois, grâce à une liste, on y voit plus clair sur la façon de les appréhender. « À chaque jour suffit sa peine » est également un dicton à garder en mémoire.

La semaine suivante, il serait toujours temps d'aviser. Pour l'heure, le point numéro neuf était la seule préoccupation des gens qui nous entouraient, Whit et moi.

Tandis que tous deux, on ne pouvait penser qu'à une chose : le point trois.

CHAPITRE 67

WISTY

— Donc, le raid est prévu pour demain ? À la prison du Monde d'En Haut, c'est bien ça ? Si je demande, c'est juste pour savoir. Je ne peux pas m'engager ni parler pour Whit.

Janine a tapoté sur son clavier et l'écran de son ordinateur a affiché les plans d'un bâtiment. Le concierge de service, *alias* Byron Swain la Fouine, a sauté de Feffer pour atterrir sur mon dos et le remonter jusqu'à mon épaule où, assis, il voyait mieux.

J'ai tendu le cou pour le regarder dans les yeux.

— Je te conseille d'arrêter de grimper sur moi sinon je sors mes flammes et je te transforme en kebab ! La dernière chose dont on a besoin, c'est d'une fouine espionne qui cafte tout de nos projets au Nouvel Ordre.

Byron est aussitôt redescendu à terre.

— Je ne ferai jamais ça ! Jamais de la vie !

Les cils de Janine ont papillonné :

— La fouine est un espion ! Et elle parle !

— Trop long à expliquer, ai-je répliqué. Mais je ne lui fais pas le moins du monde confiance.

— Je ne suis pas un espion ! a protesté Byron. Vous croyez franchement que je pourrais les aborder comme ça, sous cette apparence ? J'aurais beau leur promettre que je détiens le secret de l'univers, ils m'exécuteraient quand même en un quart de seconde.

— Ça ne change rien en ce qui me concerne : va-t'en. File ! lui ai-je ordonné en pointant dans la direction du couloir.

L'air insulté et blessé, Byron s'est précipité hors de la pièce en maugréant.

Je me suis reconcentrée sur le schéma à l'écran.

— C'est quoi, déjà, le plan pour délivrer ces enfants ? Vous avez un plan, n'est-ce pas ?

CHAPITRE 68

WISTY

— Pour commencer, il faut qu'on vous briefe rapidement sur le premier bastion du Nouvel Ordre, a décidé Janine. Ils l'appellent la Cité du Progrès parce qu'elle représente leur idéal de communauté. C'est un peu le modèle d'exposition dont ils veulent meubler la planète. Ça regorge de crétins erlenmeyers là-bas.

Elle a mis deux doigts dans sa bouche et produit un sifflement à faire éclater les tympans. Deux mecs sont arrivés au pas de course.

Janine a hoché la tête à l'intention du grand maigre, tiré à quatre épingles.

— Jonathan se chargera de vous montrer les environs mais, d'abord, Emmet va s'occuper de vos déguisements.

— Nos déguisements ? a relevé Whit.

— Absolument, a insisté Janine. Il va falloir vous fondre dans la masse. Pas le moment d'avoir l'air topitos ! Autrement… vous savez… ils vont vous couper la tête !

Emmet, un blond super mignon, a pris la parole :

— Venez ! On va d'abord passer par le rayon maquillage. Ne craignez rien, je suis super doué.

Une heure plus tard environ, ma chevelure, d'ordinaire indomptable, luisait, parfaitement démêlée et dégagée de mon visage par un serre-tête savamment positionné ainsi que deux douzaines d'épingles à cheveux. Mes vêtements étaient rose bonbon et vert pistache – autrement dit, à des années-lumière du gris et du noir que j'aimais porter d'ordinaire.

Le concierge de service, qui était allé se poster sur un placard de rangement, me toisait à présent des pieds à la tête.

— Tu es très jolie, a-t-il commenté. J'approuve tout à fait.

Je lui ai tiré la langue juste au moment où Whit me rejoignait. La peau, sur son visage, était rose et lisse comme après un gommage ; nous lui avons aussi coupé les cheveux – plus courts encore que d'habitude – et il avait l'air plus propre qu'il ne l'avait été depuis longtemps. Si je n'avais pas été sa sœur, j'aurais même dit qu'il était beau. Mais étant donné que je le suis, j'ai lancé à la place :

— Monsieur, je ne pense pas que nous nous soyons rencontrés, si ? Wisty, la méchante sorcière. Enchantée. Et votre petit nom, c'est comment ?

— Euh… je suis une icône de la garde nationale.

Feffer s'est approché et nous a reniflés pour s'assurer que nous étions toujours nous. Nous nous sommes tous les deux laissé lécher.

— Bon, a déclaré Jonathan en s'avançant vers nous.

Il était vraiment grand et dépassait Whit de plusieurs centimètres, mais ne devait pas peser beaucoup plus que moi. Avec son teint clair et ses cheveux blonds, on aurait dit un albinos.

— Deux ou trois choses à ne pas oublier. D'abord, pas de tour de magie. N'adressez la parole à personne à moins d'y être obligé. Si c'est le cas, pensez à sourire et à dire Monsieur ou Madame. Ne traversez pas au rouge sur les passages cloutés, ne faites pas éclater des bulles de chewing-gum en public et, par pitié, ne laissez pas votre chienne faire caca dans la rue. Tous les chiens de la Cité du Progrès sont dressés pour utiliser des litières comme des chats.

— Ça a l'air sympa comme endroit ! a commenté Whit.

— Allez, on y va ! Que je vous présente l'ennemi.

CHAPITRE 69

WISTY

Ce qui m'a tout de suite frappée dans la Cité du Progrès, c'était que Le Seul-L'Unique était littéralement partout : sur les affiches, les tableaux, dans les vidéos, en première page des journaux et même sur les peintures murales. Qui pouvait bien être ce cinglé ? Je pensais que les gens de son espèce n'arrivaient au pouvoir qu'ailleurs, dans les livres d'histoire et les contes fantastiques.

Jusqu'à présent, je ne m'étais pas encore rendu compte à quel point le fantastique se mêlait à la réalité.

La seconde chose que j'ai remarquée dans la Cité du Progrès, c'était la peinture fraîche. On ne pouvait échapper à son odeur. Tout était si ordonné, si parfait. Il y avait peu d'enfants et chaque fois que nous croisions des adultes, ils nous jaugeaient du coin de l'œil. Whit et moi avons appris à copier la façade de Jonathan : un sourire furtif.

Les signes du nouveau régime abondaient. Des autocollants sur les pare-chocs des véhicules utilitaires, de sport et de loisirs rutilants qui disaient : « Tous ensemble pour le NO », « Au moindre soupçon, parlez ! » ou « Refusez l'art ! ». Le plus effrayant de tous, à mon avis était : « Fiers d'être les parents d'un nouveau rapporteur du NO. »

— Ooooh ! me suis-je exclamée, les jambes molles, ayant repéré un bâtiment de plain-pied tout en chrome. Un restaurant ! (À l'idée d'un bon repas chaud, j'aurais presque gémi de plaisir.) Tu crois que c'est risqué d'y aller ? S'il te plaît !

— D'accord, a acquiescé Jonathan du bout des lèvres. Mais n'oubliez pas les bonnes manières. Restez en mode « Nouvel Ordre » !

À l'intérieur, presque toutes les banquettes en vinyle rouge étaient occupées par des adultes. Un type en coiffe blanche astiquait un comptoir assorti alors qu'il scintillait déjà. Nous nous sommes assis de l'autre côté sur des tabourets qui tournaient sur eux-mêmes. Mon estomac s'est mis à gargouiller si fort que j'ai eu honte.

— Oui ? a dit le barman. Je peux vous aider ?

— Ce serait avec plaisir, m'sieur ! Mais c'est drôle-ment dur de choisir ! ai-je répliqué en imitant au mieux un mélange de mièvrerie à mi-chemin entre La Fouine et Jonathan. C'est possible d'avoir un soda avec une boule de glace dedans et un double cheese-burger ? Merci.

— Wisty, m'a interpellée Whit à voix basse en se penchant vers moi si près que j'ai senti son souffle chaud, tu ne remarques rien de… bizarre ? Moi si !

Mine de rien, j'ai pivoté sur mon tabouret.

J'ai balayé le restaurant des yeux mais n'ai rien découvert d'autre que des gens en train de mâcher leurs hamburgers et leurs frites, et de boire leurs milkshakes. Le juke-box passait l'hymne du Nouvel Ordre : le chant plaintif à consonance émo d'une diva sur fond d'étonnants roulements de tambour. Wahou ! C'est dans ces moments-là qu'on se rend compte à quel point les choses ont mal tourné : quand des marches militaires remplacent la pop.

Tout à coup, une femme a attiré mon attention. Elle avait une couche épaisse de mascara sur les cils et une chevelure abondante. Elle m'a regardée de travers avant de se reconcentrer sur les personnes attablées avec elle : deux femmes, la cinquantaine, surmaquillées et au brushing volumineux.

— Si, tu as raison, ai-je murmuré en retour. Celle qui a l'air d'avoir mis les doigts dans la prise, et ses deux copines aussi chevelues qu'elle, elles nous matent.

— C'est une sorcière, ai-je soudain entendu.

Je me suis figée en plein élan sur mon tabouret et les poils, sur mon bras, se sont hérissés, comme au garde-à-vous.

L'employé a finalement levé les yeux de son comptoir briqué, plissant le front comme si on venait de tirer un coup de feu.

— Qu'avez-vous dit, Mme Highsmith ? a-t-il relevé.

— Cette petite rouquine au comportement obséquieux, là : c'est une sorcière, a déclaré l'intéressée – la femme même qui m'avait dévisagée. Quant au grand et joli blond, à côté, il a quelque chose de louche lui aussi !

Elle savait de quoi elle parlait : comme moi, c'était une sorcière.

CHAPITRE 70

WISTY

— C'est celle qui le dit qui l'est !

En vérité, je n'ai pas rétorqué ça. J'avais appris à me contrôler depuis mon arrestation et ma condamnation à mort. J'ai donc préféré faire les gros yeux et revêtir mon meilleur costume de comédienne.

— Où ça ? ai-je haleté en tournant très vite sur mon siège.

J'ai jeté des regards affolés dans tous les coins du restaurant, scrutant les visages un à un.

— Ma sœur, une sorcière ? Mais ça ne va pas la tête ! a proclamé Whit avec un air outré des plus convaincants.

Les beaux mecs sont extrêmement bons pour jouer la comédie, croyez-moi. Depuis ma naissance, j'avais été témoin au quotidien des talents d'acteur de Whit.

— Cette fille vient de recevoir la Médaille d'honneur des jeunes rapporteurs du secteur, a inventé Jonathan.

Il se défendait plutôt bien lui aussi.

— Peut-être Mme Highsmith se fait-elle… des idées ? ai-je avancé. Peut-être qu'elle *voit* des choses ?

Ce n'est pas impossible, pas vrai ? Hum ? Mme High-smith, vous avez des visions ?

Tous les yeux étaient désormais rivés à la femme et ses deux copines louches. Elle a piqué un fard.

— Eh bien, faites-lui passer le test ! s'est-elle écriée d'une voix stridente.

— Je m'y soumettrai volontiers, me suis-je empressée de répondre, à condition que vous le passiez, vous aussi.

Dans le restaurant, tout le monde gardait le silence, pendu aux lèvres de la femme, quand j'ai été prise d'une colère subite. Si elle savait ce que c'était de ne pas être comme les autres, pourquoi fallait-il qu'elle persécute les autres individus comme elle ?

— Ce n'est pas moi la sorcière ! C'est elle ! a-t-elle fini par lâcher.

Les clients – clairement soupçonneux – s'étaient finalement mis à murmurer.

Mentalement, je me suis représenté la table de la femme, me concentrant sur le détail de sa fourchette en Inox, posée sur une serviette près de son assiette.

— Mon père m'interdit de parler aux individus de son espèce, a dit Jonathan en descendant de son tabouret pour se diriger vers la sortie, imité par mon frère et moi. Venez, on s'en va. Il faut dénoncer cet endroit.

En une fraction de seconde, j'ai visualisé sa fourchette puis je l'ai sentie et j'ai su ce qu'il fallait que je fasse.

Le couvert s'est soulevé de la table pour foncer tout droit… vers ma tête.

— Au secours ! ai-je hurlé en levant les mains. Aidez-moi ! Je vous en supplie !

La fourchette a cogné le dessus de ma main, plus fort que prévu d'ailleurs.

J'ai poussé un énorme cri qui s'est soldé par l'effet que j'escomptais : le tumulte parmi la clientèle du restaurant, indignée.

— Pourquoi essaie-t-elle de me faire mal ? Comment elle a réussi ? C'est surnaturel ! Elle m'a poignardée avec sa fourchette.

— Appelez les services de sécurité ! a ordonné un des clients qui s'était levé. Elle s'en est prise à cette fille qui est Médaille d'honneur des jeunes rapporteurs. C'est une sorcière !

— Ce n'est pas moi ! C'est elle ! a répété Mme Highsmith en hurlant tandis que la foule l'encerclait de plus en plus.

Pour la première fois, je me suis sentie un tout petit peu coupable d'user de tels pouvoirs.

C'est vrai : ça pouvait très bien être une simple mégère mal léchée.

Même si, franchement, au fond de moi, j'en doutais !

CHAPITRE 71

WISTY

Le type derrière le comptoir s'est dépêché de jeter un œil à une sorte de schéma tel qu'il en existe avec les instructions pour réanimer une victime de suffocation et il a hurlé :

— Attrapez-lui les bras et serrez jusqu'à lui couper la circulation ; ensuite, bâillonnez-la qu'elle ne puisse pas formuler d'incantation !

Entre-temps, nous nous sommes réfugiés vers la sortie tout en lançant des regards inquiets par-dessus nos épaules. Les sirènes des patrouilles de police se rapprochaient de plus en plus.

Mme Highsmith, écrasée contre la vitrine, avait la bouche pleine d'une bonne dizaine de serviettes en papier reconverties en bâillon de fortune. J'avais de la peine pour elle.

Là, la vieille dame m'a surprise à regarder. Elle m'a toisée d'un air menaçant quelques instants, avant de se mettre à propager un halo comme je l'avais fait auparavant à l'hôpital. Je me suis sentie plus ou moins soulagée. Mon instinct ne m'avait pas trompée : c'était bien une sorcière.

Alors, elle a fait quelque chose auquel je ne m'attendais pas du tout : d'un geste de la main, elle nous a signifié de nous en aller. Était-elle dans notre camp ?

Ce n'est pas tout : il y a mieux. Les gens qui l'assaillaient se sont mis à flotter dans les airs, tels des ballons de baudruche, avant d'être catapultés vers le fond du restaurant en poussant des cris d'appel au secours.

Les yeux toujours rivés à moi, la femme a ressorti les serviettes de sa bouche. Ses amies, pendant ce temps, n'avaient cessé de manger leurs sandwiches et de siroter leur thé calmement. Alors, un truc super bizarre s'est produit : la sorcière a allongé l'index et l'auriculaire comme pour me signifier quelque chose.

Où voulait-elle en venir ?

Finalement, en un éclair, elle et ses copines du troisième âge se sont volatilisées.

— Trois membres du même ordre, ai-je chuchoté à Whit. L'Ordre des Sorcières.

CHAPITRE 72

WHIT

La nuit de l'incident avec Mme Highsmith, nous avons tous dormi dans le rayon salles de bains et chambres à coucher de chez Garfunkel, priant pour que la sorcière ne nous ait pas jeté un mauvais sort et que nous ne nous réveillions pas sous l'apparence de crapauds. Je parie que vous ne vous doutiez pas qu'on pouvait faire tenir deux ados, un gros chien et une sale fouine traîtresse dans un seul lit. Bien sûr, ça aide lorsqu'un des humains lévite à plusieurs centimètres au-dessus du matelas pendant son sommeil.

Cela dit, plusieurs des lits de deux mètres sur deux accueillaient également entre six et sept enfants à la fois. Nous étions des centaines à squatter le grand magasin – sur des matelas, dans des sacs de couchage, sur des piles de coussins de canapé. On aurait dit une colonie de vacances postapocalyptique sans moniteurs, avec en prime, le soulagement d'avoir échappé à la Matrone, au Visiteur et au juge Ezekiel Unger, ainsi qu'au régime cauchemardesque du Nouvel Ordre qui rendait l'endroit d'autant plus accueillant.

Le lendemain, alors que je me contemplais dans un miroir, près des cabines d'essayage pour hommes, j'ai décidé de faire un peu d'exercice pour me muscler, sachant que cela me serait un jour utile. J'avais déniché des haltères au rayon sport et voulais voir à quel point l'air de la prison avait déteint sur moi.

J'ai sursauté en entendant une personne toussoter près de moi.

— Sorcier Allgood. (C'était Janine.) J'aimerais te présenter quelqu'un.

Janine était fidèle à elle-même : très jolie à regarder mais le visage empreint du même sérieux qu'un vice-président. La fille qui l'accompagnait, en revanche, souriait de toutes ses dents. Je lui donnais seize, peut-être dix-sept ans. Basanée, elle était petite mais devait peser dans les cent kilos.

— Salut. (Elle m'a tendu la main.) Je m'appelle Jamilla. Je suis la shamane.

— La quoi ?

Ses iris marron, brillants, m'ont frappé aussitôt, ainsi que ses boucles rebelles qui partaient dans tous les sens, dans son dos.

— La shamane, a répété Jamilla. Autrement dit, un drôle de numéro moi aussi. À l'instar de ta sœur et toi, si ce n'est que je ne fais pas de magie. Je me contente d'aider les autres avec leurs pouvoirs. J'ai travaillé avec quelques sorciers et sorcières qui avaient besoin d'affiner leurs pouvoirs.

— Salut, a dit Wisty comme elle se joignait à nous. C'est vrai qu'on a des pouvoirs spéciaux mais ils sont parfois difficiles à contrôler. Presque toujours, en réalité.

— Cela prend du temps avant de maîtriser ses talents de sorciers, nous a rassurés Jamilla. Il y a aussi une grande différence entre les gens qui arrivent à deviner qui est au bout du fil quand le téléphone sonne, et ceux, bien plus rares, qui parviennent effectivement à faire flotter de petits objets dans les airs. Il y en a même certains capables de deviner ce qu'il y a dans vos poches ou votre sac à main.

Jamilla a souri et ponctué son récit d'une grimace pour montrer qu'elle était impressionnée.

Wisty et moi nous sommes regardés.

— On imagine assez bien, oui.

— Il me tarde de découvrir de quoi vous êtes capables tous les deux. Jamais on n'avait vu le Nouvel Ordre investir autant de ressources et de temps dans des personnes auparavant. C'est vrai, d'après nos sources, ils ont équipé cette maison de fous de bas en haut avec des accessoires censés protéger de la sorcellerie rien que pour vous deux. Le summum du craignos.

— On devrait se sentir flattés, ai-je répondu d'un air pince-sans-rire. Mais comme l'a précisé Wisty, on est doués de pouvoirs magiques, oui, mais en général, on n'a pas grand contrôle.

— Vous avez un exemple ? a voulu savoir Jamilla avec engouement.

D'autres enfants commençaient à s'assembler autour de nous.

— Ça, est intervenue Wisty juste avant de s'enflammer.

Tout le monde s'est mis à pousser des cris en reculant, y compris la shamane.

— Crâneuse ! ai-je plaisanté.

CHAPITRE 73

WHIT

Ma sœur se tenait là, près de nous, des flammes de plus d'un mètre dansant autour d'elle. Elle papillonnait des yeux, le visage dénué de la moindre expression, si ce n'était la fougue. Bien entendu, tout le monde poussait des hurlements ainsi que l'aurait fait n'importe quel enfant face à… une torche vivante. Avant même que j'aie le temps de trouver un moyen d'éteindre ses flammes, le feu s'est arrêté.

— J'ai réussi ! s'est exclamée Wisty, en brandissant son poing. J'ai arrêté mes flammes toute seule.

— Bien joué, sœurette ! T'es la meilleure !

Jamilla avait une drôle de mine. Un peu verte. Comme malade.

— Tu as fait ça exprès ? a-t-elle demandé d'une voix rauque.

— Absolument, a reconnu Wisty, sauf que d'ordinaire, ce genre de truc se produit malgré moi, si je suis en colère notamment. Aujourd'hui, c'est la première fois que je déclenche et que j'éteins le feu moi-même. En général, il faut vraiment qu'on me pousse à bout ! Et là, mieux vaut avoir un extincteur à portée de main.

Jamilla a témoigné son admiration en sifflant.

— Quels sont tes autres talents ?

— Elle peut léviter, a raconté un garçon qui ne devait pas avoir plus de cinq ans. (Il pointait du doigt ma sœur.) Je l'ai vue ! La nuit dernière, elle a flotté au-dessus du lit. On aurait dit un ballon.

— Ah ouais, a admis Wisty avec embarras. Ça m'arrive parfois. Je ne le fais pas exprès.

Parmi la foule, des halètements et des murmures se sont élevés.

— Whit a passé la main à travers un mur, a raconté ma sœur. Et il a arrêté un marteau en plein vol. Et je me suis planté une fourchette dans la main toute seule – c'est une longue histoire… Ah oui ! J'ai aussi statufié des chiens de garde à l'hôpital.

— Tu as statu… a relevé Jamilla d'une voix éteinte.

— Je les ai défigés après, s'est défendue Wisty. Je ne les ai pas laissés dans cet état. Je n'aurais jamais fait ça à des chiens. Demandez à Feffer. Des fois aussi, j'ai un halo qui se forme autour de moi, un peu comme cette sorcière, au restaurant, juste avant qu'elle envoie tous les gens tournoyer dans les airs. Je n'ai toujours pas compris ce machin-là.

Les autres avaient beau être sceptiques, ils venaient de voir une torche vivante.

— Les sangsues, me suis-je soudain souvenu avec un hochement de tête.

— Oui, c'est vrai. J'ai fait apparaître un essaim de taons – bien qu'en réalité, j'essayais de matérialiser un cafard géant, s'est rappelée Wisty en frémissant.

— Et puis, il ne faudrait pas m'oublier, moi, le bon vieux bougre de service ! a dit une voix, à mes pieds.

— Une fouine qui parle ? a constaté Janine.

— Il n'a pas toujours été une fouine, a avoué ma sœur. Seulement, cette apparence est fidèle à sa vraie nature.

— Non, c'est un lion que je devrais être, a-t-il piaillé.

Je dirais plutôt que cela aurait été ta forme opposée, a rectifié Wisty en foudroyant l'intéressé du regard qui l'a toisée d'un air tout aussi menaçant.

— Incroyable ! s'est exclamée Jamilla en passant de nous à Janine.

Celle-ci a écarquillé les yeux.

— Tu crois ? a-t-elle interrogé la shamane.

— Janine, je pense que ce sont eux, oui !

— Qui ça ? ai-je insisté. Quoi ça ?

Je n'étais pas certain de vouloir connaître la réponse à cette question.

— Les Libérateurs, a soudain lâché Jamilla sans nous quitter des yeux. Les sauveurs. Venez un peu voir. Il y a une prophétie… et elle porte sur vous deux.

CHAPITRE 74

WHIT

Jamilla a pivoté sur elle-même et elle est partie en courant vers un mur, non loin, en direction du comptoir d'emballage des paquets-cadeaux. Sa chevelure de lionne ondulait derrière elle à la manière d'un Slinky. Le mur était protégé par un cordon en velours pourpre pour tenir les gens à distance, mais Jamilla l'a enjambé dans sa foulée.

— C'est le mur de la prophétie. Parfois, des messages y apparaissent. En général, ils ont rapport avec le magasin, du genre : « Grande démarque en janvier : tout doit partir ! » Mais d'autres fois, ça dit par exemple : « Rendez-vous sur la Cinquième Avenue pour secourir un orphelin au numéro vingt-deux. »

— Il y a quelque temps, le mur a annoncé que deux libérateurs doués de pouvoirs magiques viendraient renverser le Nouvel Ordre. Par conséquent, les amis, vous avez du pain sur la planche si vous voyez ce que je veux dire.

Elle s'est tournée vers le groupe de personnes qui nous avaient suivis jusqu'au mur.

— Y en a-t-il parmi vous qui pensent que ce n'est qu'une coïncidence ? Dites-moi. Oui ? Non ?

Tout à coup, l'assemblée s'est mise à frapper des mains frénétiquement et à pousser des acclamations.

Tout le monde sauf Wisty et moi, évidemment.

— Euh… ai-je commencé.

C'était un simple mur. Un mur blanc qui plus est ! S'agissait-il de la dernière glorieuse prophétie ? Il n'y avait rien d'écrit du tout. Absolument rien. Deux possibilités : ou bien nous étions condamnés à disparaître dans le vide, ou bien — et ce n'était pas beaucoup mieux — rien ne changerait.

— Non, je vous assure : le message était bien là, a confirmé Jamilla. Attendez quelques secondes ; ça ne marche pas à tous les coups ; parfois, ça prend un peu de temps.

Nous avons scruté le mur vierge et recouvert, d'un bout à l'autre, d'un simple papier peint qui se décollait. Rien qui saute aux yeux… loin de là !

Wisty m'a adressé un regard auquel j'ai répondu par un haussement d'épaules exagéré.

— Les messages vont et viennent, a annoncé Janine en dégageant ses cheveux. Mais on l'a tous vu de nos propres yeux.

Dans la foule, plusieurs personnes ont acquiescé d'un mouvement de tête.

Bon, soit. Le mur était peut-être à court de prophétie aujourd'hui.

— Même si c'est vrai, ai-je dit, comment sommes-nous censés renverser un gouvernement suffisamment puissant pour raser des villes entières et en bâtir de nouvelles à la place ? En outre, notre principal objectif ne change pas pour autant : ce qui compte pour nous, c'est de retrouver nos parents, c'est tout.

— On a été clairs dès le départ là-dessus.

— Regardez ! s'est soudain écrié quelqu'un.

J'ai reporté mon attention sur le mur des prophéties et découvert que des lettres étaient en train d'apparaître. Mais qu'est-ce que… ?

UN JOUR PROCHE,
LES ENFANTS DIRIGERONT
LE MONDE…

J'ai frissonné. J'avais déjà entendu ça auparavant. Dans la bouche de Celia. Le message s'est poursuivi :

… ET ILS S'EN SORTIRONT
AUTREMENT MIEUX QUE
LES ADULTES AVANT EUX.

— Ouah ! a lâché Wisty dans sa barbe. C'est lourd à porter comme truc.

Sasha s'est précipité vers Janine pour lui murmurer quelque chose à l'oreille. Son interlocutrice l'a écoutée ; elle a hoché la tête et a soudain paru troublée. Ce qui était peu courant chez elle.

Elle nous a considérés un instant, Wisty et moi.

— Sasha, dis-leur. Vas-y.

— On vient de recevoir un message de nos espions chargés de surveiller la prison du Monde d'En Haut et de nouvelles exécutions sont prévues pour demain matin. Par évaporation.

Des hoquets d'effroi et des murmures horrifiés ont retenti dans la salle. À la lumière de l'histoire de Michael Clancy, j'ai réagi pareil. Wisty aussi.

— Il y a autre chose, a repris Sasha en nous fixant droit dans les yeux, ma sœur et moi. Vos parents se sont refait capturer.

— Quoi ? avons-nous crié à l'unisson.

— Où sont-ils ? a aussitôt demandé Wisty.

— Peu importe où ils sont, on y va ! ai-je déclaré. Et tout de suite ! Désolé de ne pas pouvoir vous aider, Sasha.

— Inutile de t'excuser. En fait, vos parents sont détenus dans le Monde d'En Haut.

Je n'ai pas eu besoin de regarder Wisty pour savoir ce qu'elle pensait. L'écho du mot « évaporation » résonnait encore dans nos têtes.

— Puisque c'est comme ça…

— On vous suit, a terminé à ma place Wisty qui avait tout compris.

CHAPITRE 75

WISTY

Le chef de l'opération de sauvetage des détenus de la prison du Monde d'En Haut était une fille et je trouvais ça super. Elle s'appelait Margo et elle avait beau mesurer autant que moi, pas plus, elle était coriace. Le contraire aurait été étonnant vu que, d'une part, elle avait déjà réussi à s'évader du Monde d'En Haut et, d'autre part, elle avait perdu plusieurs doigts. Elle ne parlait pas non plus de Le Seul-L'Unique en des termes élogieux – loin de là – ne cachant pas ses instincts meurtriers à l'égard de l'homme.

Et je dois dire que ce penchant meurtrier vis-à-vis du grand manitou commençait à me gagner moi aussi. Après tout, il envisageait de faire partir en fumée mes parents, le lendemain. Nous n'allions certainement pas rester les bras croisés.

Margo a ouvert la voie vers une station de métro à l'abandon, humide, froide et sombre. Heureusement, nous avions emporté des lampes torches du rayon quincaillerie de chez Garfunkel.

— Une fois dans la prison, on devrait laisser sortir les enfants en premier étant donné qu'on sait où ils se trouvent. Ensuite, on ira chercher vos parents, a décrété Margo.

— On verra une fois là-bas, d'accord ? a rectifié Whit. Je préfère qu'on finalise le plan sur place. Seulement, ça ne répond pas à la question majeure, n'est-ce pas ? À savoir, comment on entre dans la prison du Monde d'En Haut ?

Margo nous a fixés, mon frère et moi.

— Un peu de magie ne serait pas de trop.

Whit et moi nous sommes arrêtés à ces mots, de même que les autres membres de notre petite bande.

— En vérité, vous n'avez pas de plan, pas vrai ? a soulevé Whit.

— Au pire, il y a toujours la solution de se faire arrêter, a proposé Margo. Ça ne devrait pas poser de gros problème.

Je les écoutais d'une oreille distraite, concentrée sur la perspective de revoir nos parents. J'étais impatiente ! À présent, il fallait que les choses sérieuses commencent.

— Moi, j'ai un plan, ai-je annoncé. Ça fait un moment que je me le repasse en tête. Mais d'abord, il nous faut des déguisements qui nous permettent d'infiltrer l'enceinte de la prison. J'ai pensé que Whit pourrait se faire passer pour un garde. Si j'arrive à le vieillir et à créer un uniforme pour lui, il n'aura qu'à rentrer. Je n'ai pas envie de me faire arrêter une nouvelle fois, Margo.

— Et toi alors ? a voulu savoir Whit. Comment tu rentres, Wisty ?

— Il faut que ce soit de la magie à ma portée. Et cohérente. J'ai essayé deux ou trois trucs avant qu'on parte de chez Garfunkel. Je crois pouvoir tenter quelque chose d'intéressant et qui, d'après moi, va marcher.

— Quoi ? a insisté mon frère.

— Tu vas trouver ça débile. Et loufoque.

— Wisty, à quoi tu penses ? Comment tu comptes rentrer ?

— Eh bien, je... J'ai marqué une pause avant de déballer d'un trait : je-me-transforme-en-souris !

CHAPITRE 76

WISTY

— En souris ? a répété Whit avec l'air d'être sur le point d'exploser. En souris ? Tu vas rentrer là-dedans sous la forme d'un rongeur ? Pour délivrer les parents et tous ces enfants ? Sans oublier, pour affronter Le Seul-L'Unique ?

J'ai confirmé d'un hochement de tête.

— Une souris peut se déplacer à sa guise sans être vue. Elle peut ronger des câbles ou se faufiler dans des conduits étroits pour servir d'éclaireur. Une souris peut faire des trucs que même un éléphant ne peut pas, me suis-je justifiée.

— Oui, et elle peut aussi se faire écrabouiller sous la botte d'un garde. Ou évaporer. Non, a refusé Whit, catégorique. C'est trop dangereux. Et c'est de la folie.

Je refusais néanmoins d'abandonner cette idée, persuadée qu'elle était bonne.

— C'est la solution idéale pour aller à des endroits où personne d'autre ne pourra aller. Fais-moi confiance, Whit. Je te dis que je peux y arriver : j'ai déjà essayé les serpents, les cafards, les chauves-souris.

En plus, ai-je ajouté avec un demi-sourire, j'ai des bons antécédents avec les mammifères de petite taille, non ?

Un silence pesant a pris place durant plusieurs secondes tandis que les autres digéraient l'exposé de mon plan. Entre-temps, nous étions sortis du métro pour remonter la rue en prenant soin de rester dissimulés dans l'ombre.

— Ça ne me plaît pas, a tranché Whit.

Pourtant, je voyais qu'il lâchait peu à peu prise.

— Aie confiance en moi. Je suis une sorcière. Regarde un peu ça. Regarde bien.

CHAPITRE 77

WISTY

J'ai dégainé ma baguette plus vite que mon ombre et – vous n'allez pas me croire ! – elle a crépité. Ma magie fonctionnait enfin comme prévu. J'ai commencé par donner une apparence plus âgée à Whit et je l'ai revêtu d'un uniforme de garde parfait jusque dans les moindres détails, avec le logo du Nouvel Ordre et tout et tout.

Ensuite, j'ai pointé la baguette vers moi et tout le monde a hoqueté de surprise. Un des enfants a même failli s'évanouir sur place.

— J'espère que tu ne te trompes pas, a dit mon frère en enfonçant son képi sur sa tête. Là, tout de suite maintenant, je n'en mettrais pas ma main au feu.

Margo, avec ses airs d'officier supérieur terre à terre, fervent amateur de logique, a désapprouvé d'un mouvement de tête.

Je devais reconnaître, en admirant mon œuvre – Whit dans son uniforme de garde à qui on aurait donné une trentaine d'années sans hésiter – que mes talents de sorcière s'amélioraient de jour en jour.

Surtout que j'avais tout de même réussi l'exploit de me transformer en rongeur.

Je ne m'étais pas vraiment rendu compte à quel point les souris étaient minuscules. J'avoisinais désormais la taille d'une grosse figue, recouverte intégralement d'une fourrure luisante, blanche et brune. Mes longues moustaches me chatouillaient le visage ; quant à mes oreilles, prises de tics nerveux, elles étaient si sensibles que j'avais envie de sursauter toutes les deux secondes.

J'ai enroulé ma queue autour de moi afin de pouvoir l'observer. Ah ! Cool ! Ça compensait en partie les tics d'oreilles.

Whit m'a montré mon reflet dans sa boucle de ceinture argentée à l'effigie du Nouvel Ordre et je dois admettre que j'étais plutôt mignonne pour une souris. Doublée, en outre, d'une sorcière à l'avenir très prometteur.

Mais ensuite, j'ai balayé du regard la rue et je me suis sentie tout à coup beaucoup moins courageuse. Imaginez, par exemple, un pneu de voiture tournant à vive allure, de la taille d'un éléphant bourré aux stéroïdes ou un humain de la taille d'un vaisseau spatial. Jamais je n'aurais soupçonné à quel point l'expérience pouvait être traumatisante pour une souris moyenne. Je risquais d'avoir besoin de plusieurs années de psychothérapie pour m'en remettre...

— Quelle heure est-il ? a murmuré Emmet.

— Sept heures moins cinq, a répondu Margo. Il nous reste deux pâtés de maison à remonter. Allez. On y est presque ! C'est l'heure du changement de garde.

— Margo, tu veux bien ramasser ma baguette et, je t'en supplie, la garder précieusement ?

Elle s'est penchée pour ramasser l'objet là où je l'avais lâché.

J'ai alors lancé un regard à Whit et lui ai demandé :

— Glisse-moi dans ta poche.

CHAPITRE 78

WISTY

J'ai détesté mon trajet dans la poche de mon frère, surtout lorsqu'il s'est mis à courir. J'avais l'impression d'être à bord d'un bateau sur une mer agitée : en haut, en bas, en haut, en bas. Passé quelques centaines de mètres, j'ai commencé à avoir la nausée. Y avait-il une formule magique que j'aurais pu prononcer pour faire apparaître un médicament pour rongeurs contre le mal des transports à bord d'humains ? Ce ne serait pas très cool de vomir dans le pantalon de mon frangin.

— Voilà la camionnette avec les nouveaux prisonniers, a annoncé Whit. La même dans laquelle on est arrivés.

— Dépêchez ! nous a pressés Margo.

Nous avons accéléré la cadence. Les secousses insoutenables provoquées par la course de Whit m'arrachaient des gémissements. Je gardais les paupières closes.

Là, mon frère a enfoncé la main dans sa poche pour m'en extraire et que je puisse voir de mes propres yeux ce qui se passait. Nous sommes parvenus au niveau des portes de prison en même temps que la camionnette qui, à l'arrêt, a klaxonné devant.

— Vas-y, a dit Emmet à mon frère.

Whit a lancé quelque chose en direction de la poubelle en fer, au coin de la rue, et dans un bruit de souffle, son contenu s'est transformé en gigantesque brasier.

— Qu'est-ce que c'est ? Que se passe-t-il ? s'est écrié mon frère en pointant du doigt la poubelle.

Aussitôt, les hommes qui gardaient les grilles sont passés à l'action, se précipitant dans la rue en laissant la camionnette et son chauffeur derrière eux, juste au moment opportun. L'homme assis au volant du véhicule a tapé un code sur le clavier d'un boîtier et les hautes grilles métalliques se sont lentement soulevées. Whit s'est glissé à l'intérieur en veillant à se tenir hors de vue du chauffeur.

Une fois de l'autre côté, mon nez s'est mis à me démanger. L'odeur, semblable à celle de l'hôpital, me soulevait le cœur.

L'espace d'un instant, j'ai pensé que je serais incapable d'y remettre les pieds. Mais j'ai repensé à mes parents et su que rebrousser chemin était hors de question.

Le conducteur a ouvert les portes de la camionnette, et un grand nombre d'enfants effrayés sont sortis à reculons, jetant des regards affolés partout. Un garde a émergé de la loge du portier pour examiner les nouveaux prisonniers, dont certains ne dépassaient pas l'âge de cinq ou six ans. Rien que d'envisager ce qui attendait ces enfants, j'en étais malade.

J'ai croisé le regard de Whit — si, si, c'est possible pour une souris et un être humain — et nous avons tous les deux murmuré la formule que nous avions répétée ensemble :

Il est l'heure de dormir, les petits,
Allongez-vous, fermez les yeux,
La nuit vous protégera sous son ciel de suie,
Et vous bercera de ses bras cotonneux.

Nos parents avaient l'habitude de nous chanter cette berceuse quand nous étions petits et elle avait sur moi un tel pouvoir soporifique que je m'endormais immanquablement dès le dernier mot prononcé. Whit et moi, nous comptions sur le fait que nos parents avaient en réalité usé d'une formule magique pour endormir leurs enfants énervés à l'heure du coucher.

D'accord, c'était un peu tiré par les cheveux.

Et bien entendu, il ne s'est rien passé.

Le garde et le chauffeur discutaient avec nonchalance en feuilletant des pages sur leurs planches à écrire comme si de rien n'était ; pour eux, c'était un jour banal : celui de l'incarcération d'enfants innocents. Non vraiment, il n'y avait pas de quoi en faire un fromage. J'ai regardé Whit et lu la panique dans ses yeux.

Dormez, espèces d'abrutis, dormez ! ai-je songé, désespérée et regrettant de ne pas avoir ma baguette avec moi. Je priais pour ne pas finir en pâté de souris dans les prochaines secondes.

Les grilles se sont refermées bruyamment derrière nous avec, de l'autre côté, nos amis. Qu'allait-il advenir de nous ? Un faux garde risquant de se retransformer en adolescent d'un moment à l'autre et une souris susceptible de reprendre son apparence humaine aussi vite, entourés de deux imbéciles au service du Nouvel Ordre qui, s'ils s'apercevaient que quelque chose de louche se passait, allaient sans nul doute déclencher l'alarme en moins de temps qu'il ne faut pour le dire.

D'ici une seconde tout au plus…

CHAPITRE 79

WISTY

En regardant par-dessus le doigt de mon frère, j'ai vu les deux gigantesques hommes se tourner lentement pour le fixer. L'un d'eux a plissé le front.

— Tu es nouveau toi, non ? a-t-il lancé à Whit. C'est la première fois que je te vois. Comment tu t'appelles, mec ?

Dormez. Dormez. Dormez ! ai-je grondé dans ma tête. *Dormez immédiatement !*

Et là, tout à coup… les deux hommes se sont effondrés par terre aux pieds de Whit. Comme des masses.

Les enfants prisonniers ont considéré les deux imbéciles avec inquiétude comme s'ils pensaient que c'était le sort qui les attendait eux aussi.

— N'ayez pas peur, les a rassurés Whit. Nous sommes de votre côté : il faut nous faire confiance, d'accord ? Nous sommes des enfants nous aussi.

Sur ces paroles, il m'a approchée de son visage.

— Tu es sûre de ton coup, Wisty ? m'a-t-il chuchoté. Ce n'est pas un jeu, tu sais.

— Whit, il est trop tard pour faire machine arrière. Maman, papa et tous ces enfants qui risquent d'être réduits en cendre sont là-dedans. Fais sortir ces enfants d'ici. Prenez la camionnette. Au passage, dis à Margo et Emmet de ne pas s'éloigner. Si je peux déconnecter l'alarme et la grille, ils devront faire passer très vite les prisonniers par les tunnels.

Mon frère a froncé les sourcils et c'était vraiment bizarre : même les rides sur son front semblaient disproportionnées. Même chose pour le bouton qu'il avait sur le visage.

— Si jamais tu vois un morceau de fromage, disons… qui a l'air abandonné sur une petite planchette en bois, enroulé de fils de fer…

— C'est bon, j'ai compris, l'ai-je interrompu. Cache les beaux au bois dormant dans la guérite.

Whit a poussé un long soupir, l'air profondément exaspéré.

— On sera tous dans les starting-blocks. Je veillerai sur toi, Wisteria.

Ce prénom – et il le savait aussi bien que moi – était celui qu'utilisait notre père dans les moments de grande tension.

— OK.

J'ai jeté un œil au sol comme s'il avait été dix étages plus bas.

J'ai fermé les yeux et sauté, pas mécontente d'atterrir sur mes quatre pattes, prête à déguerpir.

— Tu vois, je ne me suis pas écrasée comme une crêpe ! ai-je souligné à l'intention de Whit.

— Sois prudente ! a-t-il répondu.

— La prudence, ça me connaît !

J'ai considéré un instant l'imposant bâtiment gris de la prison et repéré aussitôt un tuyau vers lequel je me suis dirigée pour m'y engouffrer après un ultime regard à mon frère. *Faites que ce ne soit pas la dernière fois que je le vois...* ai-je songé.

— À tout', ai-je fini par promettre d'une voix si ténue qu'en aucun cas, Whit n'avait pu entendre.

Alors, j'ai levé les yeux sur le sommet du tuyau rouillé. Ça sentait le renfermé, les feuilles mortes humides, ainsi que d'autres odeurs suspectes que je n'arrivais pas à identifier avec précision. J'avais lu quelque part que les souris étaient de bonnes grimpeuses.

C'était ce que nous verrions.

CHAPITRE 80

WHIT

J'ai frissonné, les épaules rentrées, en suivant du regard la minuscule queue en tire-bouchon de Wisty qui disparaissait dans le tuyau. Aucune formule magique ne pourrait réparer les dégâts si la botte militaire d'un garde du Nouvel Ordre l'écrabouillait.

Pourtant, ma mission, c'était de sauver les enfants qui venaient d'arriver dans cette camionnette ; alors je pourrai délivrer mes parents et le plus tôt serait le mieux.

— On s'en va ? a demandé un des détenus du bout des lèvres alors que je passais en marche arrière les grilles de la prison. C'est contre le règlement du Nouvel Ordre, non ?

— Affirmatif et cela s'applique à tes deux questions, ai-je répliqué tout en m'assurant que la voie était libre. Changement de programme, mais pas d'inquiétude.

J'ai enclenché la première et me suis engagé à vive allure dans la rue, fonçant dans l'allée par laquelle nous étions arrivés. J'ai baissé ma vitre et fait signe de la main.

Margo, Emmet et les autres sont sortis de l'ombre.

— Où est Wisty ? s'est inquiétée Margo.

— Dans un tuyau, où veux-tu qu'elle soit ? Il faut qu'on se débarrasse de cette camionnette.

— Non, on pourrait en avoir besoin plus tard, a déclaré Emmet en s'asseyant près de moi sur le siège passager.

Margo s'est glissée devant, elle aussi.

— Tu prendras la troisième à droite, au feu.

Elle s'est alors occupée de rassurer les enfants.

— Vous n'avez rien fait de mal. On vous emmène dans notre cachette. Vous habiterez avec nous. Ça n'a rien de luxueux mais c'est mieux que la prison.

— On ne va plus en prison ? a relevé une fille en essuyant les larmes qui ruisselaient sur ses joues.

— Non, a confirmé Margo. On va chez Garfunkel.

Lire le soulagement sur leurs visages m'a procuré une sensation de joie profonde. J'anticipais déjà leurs innombrables questions, mais, pour l'heure en tout cas, ils avaient de l'espoir. Et ils nous avaient *nous*.

— C'est maintenant que le plan se corse légèrement, a annoncé Emmet sur un ton nerveux. La bonne nouvelle, c'est qu'on va pouvoir rentrer chez Garfunkel sans passer par les artères principales et risquer de se faire remarquer.

— Oh non ! Pas *ça* ! a râlé Margo, visiblement inquiète. (Disons que « complètement flippée » serait plus proche de la vérité.) C'est un coupe-gorge !

— Mais c'est le seul moyen ! a assuré Emmet.

— Euh… ça vous ennuierait de développer l'idée du « coupe-gorge » s'il vous plaît ? suis-je intervenu.

— Là ! a hurlé Emmet tout à coup en tournant violemment le volant. À gauche toute !

— Mais ce n'est pas une rue, ça ! ai-je crié en retour au moment où le véhicule montait sur le trottoir.

— Accrochez-vous ! a commandé Margo. Ça risque de secouer.

Mon cou accomplissait des mouvements de va-et-vient alors que je scrutais les environs à la recherche d'éventuels piétons, innocentes victimes que je ne voulais surtout pas écraser.

— Là ! a prévenu Emmet une nouvelle fois.

— Où ?

C'est alors que j'ai vu de quoi il parlait. Mais il était... trop tard.

CHAPITRE 81

WHIT

J'ai enfoncé la pédale de frein au maximum. Néanmoins, il semble qu'au volant d'une camionnette pleine à craquer, si vous descendez des escaliers abrupts, les freins ne sont plus d'aucune utilité.

Les enfants, à l'arrière, poussaient des hurlements comme s'ils avaient été ligotés sur un grand huit avec un tueur en série aux commandes. L'espace d'une seconde, je n'ai pas pu m'empêcher de me demander s'ils n'auraient pas préféré être en prison, à cet instant, en train d'enfiler leurs uniformes.

C'est bien la seule pensée cohérente que j'ai réussi à avoir avant que nous nous mettions à cahoter tant et tant que tout espoir de réfléchir est devenu vain.

Bang ! Bang ! Bang !

Pourquoi est-ce que le temps passe à une vitesse folle quand on s'amuse, et que, lorsqu'on est au volant d'une voiture remplie de mômes hystériques, dévalant des escaliers, il semble s'arrêter ? Les lois de la physique sont vraiment trop injustes !

— Qu'est-ce qui t'a pris ? ai-je grondé Emmet. C'est une station de métro !

— Exact ! a-t-il hurlé pour couvrir le bruit de ferraille du pare-chocs qui, pour le coup, ne paraissait pas absorber grand choc.

L'écho des hurlements des enfants était renvoyé par les parois environnantes comme autant de hoquets hystériques.

— Cette station aussi est abandonnée ! On peut rouler sur la voie jusqu'au portail par lequel on rentrera chez nous, a commenté Emmet.

Hors de question, ai-je tout de suite songé. La camionnette a été secouée de plus belle et s'est écrasée contre les tourniquets avant d'atterrir sur le quai où elle a glissé sur le côté au ralenti... s'approchant dangereusement du bord du quai.

Les cris de panique ont redoublé dans l'habitacle alors que le véhicule progressait vers le rebord pendant plusieurs secondes d'agonie qui ont paru s'étirer une éternité. Il s'est finalement écrasé sur les rails de métro dans un bruit rappelant la chute d'un bloc de béton.

Le silence a détrôné les cris d'horreur. J'avais l'impression d'émerger d'une centrifugeuse branchée en position maximale.

Nous avions atterri au beau milieu de la voie et nos phares, amochés, trouaient la pénombre caverneuse de leurs faisceaux obliques. J'ai éteint le moteur et dévisagé Emmet.

— Et voilà. Un plan sans accroc, a-t-il commenté en tremblant.

Il avait le teint livide.

— Ça va, derrière ? ai-je demandé d'une voix éraillée.

— Si on pouvait éviter ce genre de truc, la prochaine fois, a répondu un des enfants entre deux pleurs. D'accord, monsieur ?

— Le plus dur est passé, a promis Emmet. À présent, on va pouvoir rouler ici et passer incognito. Il y a un tunnel transversal qui nous conduira tout droit au portail.

Un long sifflement grave a soudain retenti.

— C'est un train mais il est loin, a expliqué Emmet. Allons-y.

Machinalement, j'ai jeté un coup d'œil dans mon rétroviseur tout en mettant la main sur la clé de contact.

Dans le miroir, j'ai vu une lumière vive qui perçait l'obscurité derrière nous.

— Ahem, pas si loin que ça, lui ai-je répondu, mon cœur battant la chamade.

— Quoi ?

— Regarde par la fenêtre arrière.

Cela n'a pas été nécessaire : les hurlements des enfants ont parlé d'eux-mêmes.

CHAPITRE 82

WISTY

Si jamais vous frôlez un jour la mort ou que, comme moi, vous passez à deux doigts de rester un rongeur toute votre vie, je vous conseille de chanter des comptines pour vous remonter le moral. Pourquoi ne pas saisir l'opportunité d'entonner *Maman les p'tits bateaux* alors que vous escaladez un tuyau ? J'ai fredonné le passage sur les petits bateaux qui auraient des jambes en riant nerveusement juste comme je pénétrais dans l'enceinte de la prison.

J'ai émergé du conduit pour me retrouver dans une gouttière et couru le long du rebord du toit jusqu'à tomber sur une bouche d'aération, semblable à celles que j'avais vues sur les plans de la prison affichés sur l'ordinateur de Janine.

Excellent. Je me suis faufilée à l'intérieur et j'ai cavalé, puis trouvé une autre bouche, et une autre, et une autre.

J'éprouvais la désagréable sensation d'être un rat dans un labyrinthe.

Mais j'éprouvais également, avec une intensité croissante, un autre effet secondaire lié à mon statut de souris : le sens de l'odorat est un million de fois plus puissant que celui d'un être humain. Très rapidement, je me suis rendu compte que je pouvais me repérer rien qu'au nez et j'ai su, face à l'embranchement suivant, que c'était le bon : il sentait l'odeur que devait avoir l'enfer par une journée torride.

Le cylindre était plongé dans l'obscurité totale mais je me suis dit que je parviendrais à voir, une fois mes yeux habitués au noir. Sinon, je pourrais toujours m'enflammer. À deux doigts d'éclater de rire à la pensée d'une souris en flammes infiltrant une prison, j'ai tendu le cou par les lattes puis j'ai hissé presque tout le reste de mon corps par le trou. Après un dernier effort héroïque, j'ai fini par passer tout entière et, là, je suis tombée à pic dans le néant.

CHAPITRE 83

WISTY

S'il y a autant de cauchemars caractérisés par une sensation de chute libre, c'est pour une bonne raison. Ce sentiment de danger imminent mais inéluctable est probablement la meilleure (je devrais dire la *pire*) recette pour éprouver la frayeur de sa vie.

J'ai plongé la tête la première dans l'obscurité totale en effectuant des rotations sur moi-même, rebondissant sur une paroi métallique poussiéreuse puis une autre, m'agitant pour me rattraper à quelque chose – n'importe quoi – qui ralentisse ma descente.

Seulement, je n'ai rien trouvé. Rien que le vent soufflant avec une intensité croissante alors que ma chute s'accélérait toujours plus.

Encore plus vite.

Aucun signe de toucher le fond pour autant, même si dans ce trou noir comme la suie, je ne l'aurais probablement pas vu venir.

— STOP ! ai-je hurlé comme une idiote.

Réfléchis, Wisty. Trouve quelque chose. Vite ! J'étais une sorcière après tout. Douée de pouvoirs magiques. La sorcellerie devait pouvoir arrêter la chute d'un objet. Whit, lui, avait bien stoppé un marteau en plein élan. Pourquoi ne pouvais-je figer un truc aussi petit et léger qu'une souris ?

J'ai battu l'air de mes griffes, l'ai fendu de ma queue à la manière d'une baguette magique ; j'ai prié de toutes mes forces, aussi enragée que les fois où j'étais devenue invisible ou que je m'étais transformée en feu follet. Rien de tout cela n'a cependant fonctionné. Je me sentais à peu près aussi magique qu'une tomate. Une tomate tombant du toit d'un immeuble très haut.

Et à deux doigts de s'écrabouiller !

Laissez-moi vous dire que le vieux cliché de voir sa vie défiler devant ses yeux quand on est à l'aube de mourir est on ne peut plus vrai. J'ai tout vu : Wisty, la petite sœur pleine d'entrain mais aimante, la lycéenne toujours prête à sécher les cours, la vilaine sorcière, la sauveuse, la souris reconvertie en galette écrasée. Ou quelque chose qui s'en rapprocherait beaucoup de toute façon.

Et c'est là que j'ai eu un éclair ; proche de la foudre, il a mis instantanément fin à ma crise de panique. Rien à voir avec un impact contre une surface dure, non. Au lieu de cela, j'ai été enveloppée par une odeur infecte, cent fois pire que celle des chaussettes de sport de mon frère.

C'était étrange : je m'engouffrais dedans.

Une lumière blafarde a fini par apparaître dans le conduit, en dessous, et il ne m'a fallu plus d'une seconde pour comprendre où j'allais atterrir : les poubelles de la prison.

Par chance, une grille bouchait l'ouverture du conduit. Je l'ai heurtée à ce qui devait avoisiner les quatre-vingt-dix kilomètres heure. Heureusement que le grillage était souple ; autrement, je suis certaine que je m'y serais étalée comme de la pâte à crêpe sur une poêle. Si les mailles avaient été moins serrées, je serais même probablement passée à travers, telle une pomme dans un vide-pomme.

En réalité, le grillage a agi tel un trampoline, et j'ai rebondi pour repartir en sens inverse, remontant le conduit avant l'impact final.

La force de ce dernier m'a coupé le souffle ; aussitôt, j'ai redouté de m'être brisé des côtes ainsi que le tibia gauche. À la façon dont ma tête me lançait et dont ma vue s'était brouillée, je devais sûrement avoir une commotion cérébrale.

Secouée, blessée, désorientée mais vivante, j'ai rassemblé assez d'énergie pour étudier les alentours. J'avais laissé une grosse bosse sur l'écran et les vieilles attaches rouillées qui le maintenaient en place avaient failli lâcher.

J'ai tressailli en entendant un genre de couinement sous moi. J'ai lutté pour ne pas succomber au vertige – je supporte tellement mal d'être en hauteur que dans les Escalator, quand il faut descendre, je me mets dans le sens inverse de la marche pour regarder vers le haut – et je me suis approchée de la grille pour jeter un œil.

Techniquement, ce n'était pas les poubelles de la prison mais une benne en acier ouverte, remplie de cadres de lits tordus, d'uniformes de détenus tachés et des restes écœurants des cuisines de la prison. En plus de… – attendez une seconde ! – une marée d'yeux rivés à moi !

Des rats. Par dizaines ! À la fourrure crasseuse, à la queue couverte de graisse et au regard diabolique.

D'ordinaire, ils ne m'impressionnent pas. Mon prof en avait même apporté un en labo de science l'année dernière. Seulement, on ne parlait pas de petites souris blanches comme on en trouve dans les magasins ou les cours de M. Nicolo. En plus, je n'avais pas mon apparence humaine non plus, là. J'étais une souris. Autrement dit une proie.

Allez, un petit tour de magie… Une formule qui me permette de grimper ou de voler. Ou de faire disparaître les rats. Ou de me transformer en gros chat. Ou encore de me réveiller de ce très mauvais rêve.

Malheureusement, ma force, mon cerveau étaient engourdis par la peur. Je n'étais bonne qu'à une chose : fixer les rats moi aussi, avec leurs poils emmêlés, leurs yeux noirs sans vie, leurs méchants crocs jaunis, leurs queues roses qui me rappelaient des vers.

Pour le moment, je ne risquais rien. Il y avait entre nous une distance de trois mètres au bas mot et à moins qu'ils se soient montrés particulièrement doués pour les pyramides humaines – je veux dire… les pyramides de rats façon pom-pom girls –, ils n'avaient aucun moyen de s'approcher de moi.

J'ai observé le haut du conduit d'aération et repéré une arête dans le métal à l'endroit où deux morceaux avaient été soudés. Ce n'était pas grand-chose mais ça devrait suffire pour m'agripper. Et s'il y en avait une autre après, et encore une et encore une...

Animée de l'énergie du désespoir, j'ai bondi en l'air, en prenant appui sur ma jambe intacte, mais j'ai raté mon coup.

Mauvaise nouvelle : les fermoirs de la grille n'étaient vraiment pas préparés à ce que je leur tombe à nouveau dessus. Ils ont instantanément cédé.

Non, non, non !

La grille s'est ouverte en grand et je suis tombée en arrière, droit sur les ordures et l'affreuse mêlée de rats.

CHAPITRE 84

WISTY

Je pense que nous sommes tous d'accord pour dire que les rats sont loin d'être les animaux les plus craquants qu'il y ait sur terre. Mais, avant de faire un dixième de leur taille, on ne mesure que partiellement à quel point ils sont repoussants. Tout bien considéré, maintenant que j'en étais si près… eh bien, je dois dire que j'aurais préféré me trouver nez à nez avec un tigre ou un grizzli.

Au moins, les tigres et les ours ne vivent pas dans des tas d'ordures. Ces rongeurs-là dégageaient une odeur si infâme qu'on imaginait forcément qu'ils allaient vous transmettre une maladie incurable rien qu'en vous frôlant, sans parler de ce qui se passerait s'ils enfonçaient leurs crocs affûtés comme des rasoirs dans votre chair.

Dès que j'ai atterri sur le tas de déchets, respirant avec peine à cause de la puanteur, ils m'ont encerclée. Il n'y avait pas une once de pitié dans leurs pupilles froides. Et à en juger par la bave qui coulait de leurs crocs de travers, ils me jugeaient clairement plus appétissante que tous les trucs moisis qu'ils avaient pu dégoter dans cette pile immonde d'ordures ménagères rances, de gras, d'os de volaille, d'uniformes en haillons, de rembourrage de matelas détrempé, de crottes de rat ainsi que d'une bouillie brun-marron impossible à identifier.

Sans perdre une seconde de plus à penser aux formules magiques – ou aux infections bactériennes –, j'ai bondi vers la plus grande brèche de leur cercle et couru aussi vite que possible compte tenu de mon corps endolori et du truc visqueux et glissant sous mes pieds.

Cela n'a servi à rien. Même en passant la première barrière de rats, ça grouillait tout autant derrière. En un éclair, ils m'ont saisie par les pattes et m'ont clouée sur l'infâme surface gluante.

Une créature maigre – de la taille d'un petit chat sauvage – avec de longs crocs, s'est penchée sur moi dans une attitude menaçante et a reniflé ma fourrure, de la bave sortant de sa gueule comme si j'étais un biscuit aux pépites de chocolat tout droit sorti du four… ou le prochain festin du roi des rats.

J'ai fermé les yeux et hurlé à pleins poumons.

Et vous ne devinerez jamais ! À cet instant précis, comme par enchantement, je me suis mise à pousser telle une tige de haricot magique dans un conte de fées.

J'avais repris ma taille humaine !

Point positif : mon tour de magie avait cessé de fonctionner juste au bon moment. Quant à mon corps de fille, il n'était pas meurtri. Point négatif : le peu de pouvoirs magiques que je possédais venait peut-être de s'évaporer. Point positif : qu'est-ce qu'on s'en fiche ! Je venais d'échapper à la mort par démembrement. Et digestion.

Autre point négatif, toutefois : reprendre ma forme humaine ne s'était pas accompagné d'une nouvelle garde-robe. Et là, allongée sur le tas d'ordures, des rats partout sur moi, j'étais… nue ! Pas la moindre couche de vêtements entre eux et moi.

Autant dire, un jouet idéal à grignoter pour se faire ses dents de rat.

En contrepartie, j'étais soudain devenue la plus grosse créature de tous et la meute de rongeurs était passablement affolée. Ils se sont précipités vers les bords de la benne pour les escalader.

Pendant ce temps, je me suis empressée de chercher des yeux dans la masse de détritus dégoûtants un uniforme que je pourrais porter ; ce faisant, j'ai remarqué l'inscription au dos des vêtements :

MAISON DE REDRESSEMENT
DU NOUVEL ORDRE
N° 426

J'ai fini par trouver une tenue à ma taille qui n'était pas complètement imbibée de purée moisie visqueuse. Mollement, je l'ai enfilée en essayant de faire abstraction de l'odeur et de son abominable contact mouillé.

Il y avait une échelle en acier sur le devant de la benne, à l'intérieur, et, impatiente de déguerpir de cette poubelle infestée de rats, j'ai gravi les barreaux à la vitesse d'un écureuil bionique… et me suis juré de ne plus employer le mot « rat » dans aucune de mes métaphores.

J'ai descendu la paroi externe de la benne jusqu'à terre et plissé les yeux tandis que je considérais l'aire de chargement faiblement éclairée. J'ai repéré un cadre de porte au sommet d'une rampe de chargement et m'y suis engouffrée.

La porte n'était pas verrouillée alors je l'ai ouverte tout doucement, laissant mes yeux s'habituer à la lumière vive et fluorescente de l'autre côté. Cela ressemblait à un couloir de service. Tout semblait calme et j'ai donc passé ma tête par l'entrebâillement.

Malheureusement, je n'ai pas été assez prudente et les six gardes, qui venaient de tourner au coin, m'ont repérée immédiatement.

CHAPITRE 85

WISTY

Je n'ai même pas eu une fraction de seconde pour souffler et reremplir mes poumons d'un air qui ne soit pas complètement saturé d'odeurs de putréfaction, préférant prendre aussitôt mes jambes à mon cou.

— Une détenue s'échappe ! a crié un des hommes alors qu'un autre enfonçait violemment un bouton rouge sur le mur, déclenchant ainsi une alarme stridente et activant des projecteurs aveuglants.

Tant que mes pouvoirs magiques échappaient à mon contrôle et que j'étais condamnée à garder ma forme humaine, exposée pleinement à l'ennemi – facile à attraper, facile à massacrer ! –, mes chances de survie devaient s'élever à un pour cent environ. Pour autant, je me suis accrochée à ce un pour cent. De toutes mes forces. Et ce nombre a agi sur moi comme une décharge d'adrénaline. Car ce n'était pas en me faisant tuer que j'allais pouvoir venir en aide à mes parents.

Je suis arrivée près d'un escalier et j'ai grimpé les marches quatre à quatre, me demandant si mes jambes ne s'étaient pas allongées depuis que j'étais repassée du stade de souris à celui de Wisty. Un étage, deux étages, trois étages et le martèlement des bottes militaires qui se rapprochait de plus en plus dans mon dos. N'empêche, j'avais encore un peu d'avance.

Vive l'adrénaline !

Arrivée sur le dernier palier, face à la porte qui menait au toit, j'ai activé le levier pour l'ouvrir. Je suis sortie sur la surface en gravier et j'ai foncé en direction du seul endroit qui n'était pas barbelé.

— Plus un geste ! Il n'y a pas moyen de s'échapper d'ici, s'est écrié un des crétins de gardes qui passait la porte derrière moi au pas de course.

Je me suis péniblement arrêtée dans un dérapage au bord d'un précipice : la cour centrale de la prison, là où les détenus faisaient de l'exercice, cinq étages plus bas.

Les gardes me savaient prise au piège. Mon seul espoir serait de passer de l'autre côté de la cour, tel un funambule sur le tuyau d'une cinquantaine de centimètres qui rejoignait les toits des bâtiments de l'établissement entre eux.

Il fallait être fou pour prendre ce risque. Ou s'appeler Wisty ! Sans même parler de vertige, l'équilibre et moi, ça fait deux. Je suis sérieuse. Vous n'avez qu'à demander à Whit de vous raconter la fois – la seule, l'unique – où je me suis essayée au snow-board.

Sans me retourner vers mes poursuivants, j'ai commencé à avancer prudemment sur le tuyau en direction du gouffre, les bras allongés pour plus d'équilibre.

— Fais immédiatement demi-tour ! C'est du suicide ! a hurlé un des hommes.

On ne pouvait pas dire, cependant, que l'inquiétude se lisait dans sa voix. Mais peu importait. J'avais déjà parcouru un quart du trajet. Ça marchait !

On aurait dit que tant que je continuais à progresser à un bon rythme, ma lancée me permettait de garder l'équilibre. En outre, le fait que je sois pieds nus et que le tuyau soit rouillé, et donc moins glissant, aidait. Je suis restée bien concentrée, les yeux rivés à l'extrémité du conduit en veillant à ne pas regarder en bas.

Erreur de ma part car une corde pendait au tuyau, à mi-distance, et je ne l'ai pas remarquée.

Mon orteil s'est pris dedans et j'ai perdu l'équilibre, tombant dans le vide.

CHAPITRE 86

WHIT

— Le train arrive ! a vociféré Emmet en remuant sur son siège avec nervosité. Il se dirige droit sur nous ! À toute vitesse !

— Tout le monde dehors ! a-t-il ordonné en empoignant la portière. Sautez ! Tout de suite, je vous dis !

— Non ! s'est opposée Margo. Continue, Whit ! Restez à vos places, les autres ! Personne ne bouge. Il va falloir qu'on le sème : on n'a nulle part ailleurs où aller.

La camionnette s'était mise à trembler tant le train était proche. J'ai tourné la clé et entendu le moteur toussoter.

Votre attention, Mesdames, Messieurs les voyageurs, le train en partance pour la Mort Instantanée est à l'approche, voie une.

— Je veux rentrer en prison ! a gémi l'un des enfants dans le vacarme des cris et des sanglots.

J'ai essayé une nouvelle fois de faire démarrer le moteur. En vain.

Des gouttes de sueur froide se sont formées sur mon front – des perles d'angoisse, rondes et parfaites. Le sifflement du train s'est changé en hurlement et les secousses ont redoublé. Je me suis efforcé de faire abstraction des cris des enfants.

J'ai remis la main sur la clé.

Concentre-toi, ai-je pensé. *Le sort de ces enfants est entre tes mains. Cette énergie doit transiter par toi… Cette camionnette doit démarrer ! Et ces enfants vivre !*

C'est alors que j'ai senti un flux circuler en moi qui m'a procuré une sensation étrange et bizarre, comme si j'avais enfoncé un doigt mouillé dans une prise électrique. J'avais l'impression d'avoir les mains en feu tandis qu'une force physique circulait dans mes doigts jusque dans la clé de contact.

Je dois bien l'avouer : je me suis senti l'âme et les pouvoirs d'un sorcier à cet instant-là. Des super pouvoirs même. Comme si j'avais été jugé coupable de sorcellerie à raison par L'Élu qui Juge.

Soudain, le moteur s'est réveillé, telle une carcasse ressuscitée d'un cimetière de voiture.

Dans l'habitacle, le silence est tombé. Un silence plein d'espoir même si, naturellement, nous étions toujours sur la voie d'un métro qui fonçait droit vers nous.

J'ai appuyé tant que j'ai pu sur la pédale d'accélérateur ; les roues ont commencé à tourner, projetant des cailloux et des détritus dans leur sillage. Les phares du train ont inondé de lumière notre voiture et sa sirène a retenti avec une telle puissance que ça m'en a donné mal à la tête.

Pendant ce temps, la camionnette a continué à rouler dans le vide. Nos espoirs s'envolaient en fumée.

Adieu, Wisty, ai-je songé. *Adieu, maman. Adieu, papa.*

Quand, tout à coup, le véhicule a fait une embardée dans un crissement de ferraille alors que l'arrière glissait le long des rails. Nous avons bondi vers l'avant.

Margo hurlait :

— Vas-y ! Allez ! Avance !

— Merci du conseil ! Tout seul, je n'y aurais pas pensé, ai-je répliqué en retour.

CHAPITRE 87

WISTY

Ironie du sort : la corde sur laquelle j'ai trébuché m'a sauvé la vie. Elle m'a brûlée à cause du frottement, mais j'ai réussi à l'attraper alors que je tombais du tuyau. Je me suis empressée d'enrouler mes jambes autour d'elle.

Là, étant donné que je ne m'appelle pas Whit et que je ne suis pas franchement très gâtée côté pectoraux, je n'ai même pas envisagé de remonter à la corde : c'était hors de question. Je me suis donc laissée glisser vers le bas avec l'espoir qu'elle descendrait suffisamment pour que je puisse sauter une fois au bout.

Sur le toit, j'ai entendu les piétinements des gardes. Ils se criaient les uns après les autres. Ils avaient suivi mes prouesses acrobatiques et redescendaient pour être certains de former un comité d'accueil dès que je toucherais terre.

Et la course-poursuite prendrait fin si je n'arrivais pas la première.

Je me suis retenue de jeter un œil en bas, préférant ne pas voir si la corde s'arrêtait bientôt... ou pas. J'ai focalisé mon attention sur les rangées de fenêtres, étroites comme des fentes, qui perçaient les cellules pendant que je me tortillais pour terminer ma descente. Encore quatre étages, trois, deux...

À cet instant, mes pieds sont entrés en contact avec une surface solide et recouverte de tissu qui m'empêchait de poursuivre sur ma joyeuse lancée.

Avec du recul, j'ai regretté d'avoir regardé ce que c'était. J'aurais dû sauter les quelques mètres qui restaient jusqu'au sol pour partir en courant sans me retourner. Parce qu'en baissant les yeux, j'ai découvert que mes pieds reposaient sur les épaules affaissées du Visiteur.

Ou, en tout cas, les épaules de son corps gonflé et sans vie.

CHAPITRE 88

WHIT

Malheureusement, le train qui fonçait dans notre direction n'a pas marqué d'arrêt à la station désaffectée que nous venions de laisser derrière nous. Sa course folle s'est poursuivie dans un vacarme de crissements et de frottements métalliques qui me donnait mal aux dents. Le pied toujours enfoncé sur la pédale d'accélérateur, je tenais le volant bien en main alors que les barres transversales de la voie faisaient cahoter la camionnette à intervalles réguliers.

Je finissais par me rendre à l'évidence que semer ce train était mission impossible. Dans quelques secondes, il nous rentrerait dedans, nous projetterait en oblique et nous nous écraserions contre le mur de ciment du tunnel.

J'ai besoin d'un autre tunnel, ai-je songé. *Il me faut un embranchement. Maintenant !*

Le hic, c'est que je n'avais aucune idée de la façon d'en faire apparaître un par magie ; quant à Wisty, elle était trop occupée à jouer les souris à l'heure qu'il était. Je n'arrivais plus à penser. Toute mon énergie était concentrée sur le volant et la pédale d'accélérateur, serrant de toutes mes forces le premier et appuyant au maximum sur la seconde au point de transpercer le plancher de la voiture ou presque.

— Là ! s'est écrié Emmet en pointant du doigt. Regarde ! Whit !

Je l'ai vu : l'embranchement ! Plus loin, les rails se séparaient en effet en deux.

— On prend quel côté ? lui ai-je demandé dans un cri. Comment savoir où va aller le train ?

Le visage d'Emmet était livide alors qu'il considérait avec insistance la fourche. Il ne connaissait pas plus que moi la réponse à cette question. Comment l'aurait-il pu ? Les sifflements du train persistaient ; à croire que le conducteur avait dans l'espoir de nous faire recouvrer la raison et s'écarter de son chemin.

— Bon ! ai-je hurlé pour qu'Emmet m'entende malgré le tumulte. Je crois que je sais quoi faire.

Nous avons accéléré en direction de la fourche ; les faisceaux lumineux que projetait le train me rappelaient ces scènes de surexposition, à la télé, qui se soldaient immanquablement par la mort de quelqu'un. J'ai viré brusquement dans le tunnel de droite et donné une impulsion de la main gauche dans mon dos.

Dans ma tête, j'ai visualisé l'aiguillage du train qui bougeait juste au moment où nous passions devant.

Le train, lancé à vive allure, s'est subitement engouffré dans le tunnel de gauche après un virage qui l'a emporté dans la direction opposée à la nôtre. En quelques secondes seulement, son sifflement terrible s'est mué en plainte étouffée.

Nous avons fini par nous arrêter dans un sursaut, mais j'ai préféré laisser le moteur allumé au cas où. Ma chemise me collait à la peau, imprégnée de sueur froide.

Dans le fond, les enfants sanglotaient dans les bras les uns des autres. Le visage d'Emmet était toujours aussi blanc qu'une statue en albâtre ; on aurait dit qu'il était soit à deux doigts de pleurer de soulagement, soit de vomir à cause des secousses. Les mains tendues de Margo étaient enroulées autour du tableau de bord comme les serres d'un aigle autour de sa proie. Elle a lâché pour s'agripper à mes épaules avec la même force.

— Tu as réussi, Whit, a-t-elle dit du bout des lèvres. Tu nous as sauvé la vie.

Il nous a fallu quelques minutes pour reprendre nos esprits et notre souffle, et que le flot d'adrénaline se dissipe. Puis la voix d'Emmet s'est élevée dans un souffle au milieu des cris de joie.

— C'est le... l'embranchement dont je te... parlais, a-t-il expliqué en tremblant. Ce tunnel va nous mener au portail. Et une fois sur place, on pourra regagner le sous-sol de Garfunkel en toute sécurité.

Il s'est renfoncé dans son siège, sous le choc.

Alors, depuis l'arrière de la camionnette, une voix ténue s'est fait entendre :

— C'est vrai ? On va vraiment chez Garfunkel ?

CHAPITRE 89

Wisty

J'ai lâché la corde dans un hurlement et atterri douloureusement sur le béton. Alors que je reprenais lentement ma respiration, je me suis retournée pour examiner le corps boursouflé.

Un message était agrafé sur sa poitrine, rédigé dans la grosse police des documents officiels du Nouvel Ordre. Il disait :

LE MANQUEMENT
À L'EXÉCUTION DES ORDRES
DU NOUVEL ORDRE ENTRAÎNE
L'EXÉCUTION DE CELUI
QUI FAILLIT !

Ils avaient tué le Visiteur parce que nous nous étions évadés.

Je commençais à éprouver de la pitié pour lui lorsqu'une demi-douzaine de mains énormes m'ont saisie avec brutalité. Les malabars à la coupe en brosse et sans cou m'ont hissée dans les airs et m'ont jetée contre le mur en béton.

Leur chef a pointé un gros doigt à deux centimètres de mon visage et, déversant sa rage sur moi, s'est égosillé :

— On ne s'échappe pas d'ici ! Personne ! Jamais !

Quelque chose, en moi, s'était brisé. Car la Wisty d'avant, qui ne manquait pas de cran, aurait rétorqué du tac au tac. Wisty la rebelle aurait formulé une remarque pleine de sarcasme ; par exemple, elle aurait souligné qu'elle était entrée par effraction de son plein gré et non pas qu'elle avait tenté de s'échapper. La méchante sorcière que j'étais aurait fait jaillir la foudre pour lui donner une bonne leçon parce qu'il avait violenté une fille ne mesurant pas plus du quart de sa taille.

Seulement, mes pouvoirs magiques m'avaient abandonnée.

J'ai du mal à trouver les mots mais c'est un peu comme si ma petite étincelle avait disparu.

Alors qu'ai-je fait d'après vous ? J'ai éclaté en sanglots, naturellement.

Comme il fallait s'y attendre, les autres se sont moqués de moi.

— Pauvre choupinette, a raillé l'un des gardes tandis qu'un autre de ses collègues débiles cherchait à faire de l'esprit.

— Eh bien, une chose est sûre, avec toute cette flotte, elle a dû boire trop d'eau.

Il m'est alors venu l'idée géniale de cracher au visage du type. Quand la magie fait défaut, il reste la salive.

Bon, soit, j'aurais pu trouver mieux.

— Argh !

Il m'a agrippée par les cheveux, rejetant ma tête en arrière si loin que j'aurais presque pu voir mes pieds à l'envers. J'avais la sensation que mon cou allait céder.

C'est là que j'aurais dû m'enflammer.

Mais la magie, elle, était éteinte pour de bon.

Il ne s'est rien produit.

Rien du tout.

CHAPITRE 90

WISTY

— Je ne comprends pas : il ne manque aucun prisonnier dans les cellules, a dit le directeur aux gardes.

C'était un homme de petite taille, d'apparence soignée, qui se tenait avec raideur, pour s'assurer, vraisemblablement, qu'il ne paraissait pas un millimètre plus petit qu'il n'était en réalité.

— On a transféré trois détenus à l'infirmerie hier soir après leur interrogatoire mais tous les autres sont présents à l'appel. On les a comptés.

J'ai senti que je blêmissais. Ils avaient envoyé trois enfants à l'infirmerie après leur interrogatoire ? À ce stade, je n'aurais pas dû m'étonner que ce Nouvel Ordre, compte tenu de sa cruauté, torture des enfants ; pour autant, mon moral est tombé plus bas encore.

— Je vais répéter ma question, a-t-il annoncé en se tournant vers moi, dans quelle aile se trouve ta cellule ?

J'étais tellement peinée que je ne pouvais pas répondre. Il devait interpréter cela comme une attitude de défi mais la vérité, je la connaissais moi : je n'étais plus en état de défier qui que ce soit.

Une lumière bleue est apparue sur le casque de l'homme et il s'est éloigné pour prendre son appel.

— Non, elle n'a pas la coupe de cheveux réglementaire. Oui… roux…

Tout à coup, ses joues se sont empourprées et il s'est raidi encore davantage au moment de se retourner pour me dévisager.

— Oui, a-t-il poursuivi, dans les un mètre cinquante-cinq et je dirais un peu moins de cinquante kilos… Oui… Oui… (Un large sourire de fierté est apparu sur son visage.) C'est un sacré coup de chance, en effet.

Alors, il a prononcé les paroles qui m'ont achevée :

— Il ne nous reste plus qu'à trouver son frère et ses parents, et la menace Allgood ne sera plus que de l'histoire ancienne.

— Quoi ? me suis-je écriée.

Les gardes m'ont brutalement repoussée contre le mur pour avoir interrompu la conversation de leur chef.

— Entendu. Parfait, a-t-il poursuivi. Vous pouvez compter sur moi : c'est comme si c'était fait. Félicitations à vous aussi.

Le casque de l'homme s'est éteint et il m'a adressé un sourire moqueur.

— Mes parents ne sont pas dans cette prison ? ai-je rugi, ce qui m'a valu un nouveau bleu à la collection que les gardes avaient entamée.

— Pourquoi aurions-nous enfermé tes parents dans une prison pour enfants ? a-t-il raillé.

— Je n'en sais rien. Peut-être parce que vous êtes tous des malades mentaux ?

Les gardes m'ont poussée une nouvelle fois mais le directeur de l'établissement n'a pas réagi à ma provocation.

— Pourquoi les garderions-nous en vie d'ailleurs ? Toi, on a besoin de t'interroger, mais eux... Crois-moi, dès qu'on les aura attrapés, tu pourras officiellement te considérer comme orpheline.

Il a grimacé un sourire menaçant. En dépit de sa cruauté, toutefois, l'idée que mes parents étaient non seulement en vie mais en liberté me consolait.

— Mettez-la dans l'aile D, cellule 412, a-t-il ordonné aux gardes en criant.

Les hommes m'ont traînée loin de lui en direction de la cellule où je passerais le reste de ma courte vie.

En chemin, j'ai étudié les portes des cellules ; derrière les barreaux se pressaient les uns contre les autres des dizaines de visages d'enfants tous en dessous de l'âge de seize ans, les yeux creux.

Une rage nouvelle montait en moi. Sasha était-il un espion au service du Nouvel Ordre ? Nous avait-il tendu un piège à Whit et moi pour que nous nous jetions dans la gueule du loup ?

Ils m'ont tirée dans l'escalier jusqu'à la cellule 412 qui, à l'instar de toutes les autres, était peuplée de visages hagards, dénués d'espoir. Combien de temps leur restait-il à vivre ? Combien de temps nous restait-il à nous tous ?

CHAPITRE 91

WISTY

Une pensée m'a hantée alors que les gardes me tenaient serrée contre les barreaux pendant que l'un d'eux ouvrait la porte : même si Sasha nous avait trahis, le bilan restait le même, nous avions échoué. J'avais manqué à ma promesse envers ces enfants. Envers Emmet. Margo. Whit. Mes parents.

Pour la deuxième fois de la journée, j'ai sangloté comme un bébé.

Mais là, le truc le plus invraisemblable s'est produit. L'un des détenus de la cellule, une fillette au visage émacié, a touché mon bras en passant la main à travers les barreaux pour tenter de me consoler.

— Ne pleure pas. Souviens-toi : s'ils font tout ça, c'est parce qu'ils ont peur. Ils ont peur de toi. Peur de nous tous.

— Que veux-tu dire ?

— Ils savent qu'on peut tout changer, qu'on a le pouvoir de se révolter.

— La ferme, sale gosse ! a aboyé un des gardes.

La fille n'a pas tressailli.

Et cela m'a fait réfléchir. Elle, maigre comme un clou, opprimée, à l'aube de la mort — une véritable Michael Clancy dans son genre –, *elle* avait la force de me soutenir. La force d'espérer.

Peut-être me restait-il une lueur d'espoir à moi aussi. Ce un pour cent de chance de survie auquel je m'étais raccrochée plus tôt.

Ils ont peur de toi. Peur de nous tous.

Je me suis tournée vers les bulldogs qui me bousculaient vers la porte désormais ouverte et me suis surprise à hurler, telle une fille possédée :

— STATUE !

Les types ont éclaté de rire et l'un d'eux m'a flanqué un coup de matraque sur la tête.

J'ai vu des étoiles et me suis écroulée par terre. Que se passait-il ? Je n'entendais plus les gardes… On ne me tirait plus… Quant aux enfants, dans la cellule, ils me fixaient, bouche bée, comme s'ils venaient de voir le père Noël descendre de la cheminée.

Oui. Oui ! Mes pouvoirs avaient fonctionné ! Les gardes étaient statufiés !

En contorsionnant doucement mes poignets et mes coudes, je suis parvenue à me dégager de leur emprise.

Mais nous n'étions pas encore libres. J'ai levé les yeux sur une caméra de surveillance dont le voyant lumineux clignotait tandis qu'elle pivotait pour se fixer sur moi. Dieu sait combien de centaines de gardes et de dizaines de portes en acier j'allais devoir passer pour goûter l'air du dehors ?

Et pas seulement moi, mais ma conscience, démesurée. Les autres détenus de ma cellule pouvaient sans peine m'accompagner mais que dire des centaines d'autres au visage inspirant la pitié, à l'œil hagard, qui m'observaient à travers les grilles des cellules voisines ? Sans parler de ceux enfermés aux autres étages. Ou dans l'aile d'à côté.

J'ai pris la plus grosse clé du trousseau qui pendait à la ceinture d'un des gardes figés et me suis dirigée vers la cellule adjacente.

— Qui veut sortir ? ai-je hurlé dans le couloir de l'aile.

On m'a répondu d'un concert d'acclamations à fendre le cœur et je me suis dépêchée d'aller ouvrir une à une toutes les cellules.

À cet instant, une sirène a retenti et une vingtaine de gardes ont déboulé dans l'aile des prisonniers.

CHAPITRE 92

WISTY

Les brutes en bottes de combat ont fendu le troupeau d'enfants que j'avais déjà délivrés pour les frapper à coups de matraque et les électrocuter sans un remords avec leurs pistolets.

Jamais je n'oublierai ces images atroces : les gardes de plus de cent kilos molestant, tabassant, violentant les petits prisonniers.

J'avais dépassé depuis longtemps le stade de la jeune fille scandalisée. Toutes les cellules de mon corps bouillonnaient de rage. Quand tout à coup... Woutch !!! Les désormais familières flammes d'un mètre environ se sont mises à danser autour de moi.

L'Ado enflammée, acte III, scène II.

Cependant, le feu ne m'aurait pas été d'une grande utilité si je n'avais bénéficié d'un coup de pouce à ce moment-là.

Le coup de chance, c'est que je me tenais juste en dessous d'un détecteur de fumée et qu'il fut un temps où les dirigeants de ce monde, se souciant de la vie de tous les êtres humains, veillaient à ce que des mesures de sécurité sauvent la vie des prisonniers en cas d'incendie. Le Nouvel Ordre, en réquisitionnant un centre de détention bâti par une société fondée sur la justice et l'équité, avait omis un petit détail : les alarmes incendie, lorsqu'elles se déclenchaient, entraînaient l'ouverture automatique de toutes les portes de l'établissement, y compris celles des cellules.

Ainsi, lorsque le hurlement de l'alarme incendie est venu s'ajouter à la cacophonie ambiante, je me suis ruée sur les gardes, laissant des traces de brûlure furieuses partout où je passais. Je devais faire sortir ces enfants d'ici et, pour cela, il fallait que j'ouvre la voie.

Les hommes n'ont pas opposé beaucoup de résistance. Je leur ai couru après jusqu'à l'aile adjacente où ils sont tombés sur des renforts et ont tenté de riposter. L'un des gardes hurlait des ordres d'une voix criarde dans un talkie-walkie pendant que les autres se tenaient prêts, leurs gourdins et pistolets en main.

J'ai inspiré profondément et me suis souvenue de ce que la fille m'avait dit : *Ils ont peur de nous tous.*

En tout cas, ils redoutaient sans aucun doute le tison volant de quinze ans qui leur fonçait dessus, les bras écartés et poussant des cris, telle une folle furieuse :

— Attention, ça brûle ! Et ça fait mal, très mal !... La vilaine sorcière arriiiive.

J'ai percé leur ligne de front sans me soucier le moins du monde de leurs hurlements alors que leurs vêtements prenaient feu.

— Vous feriez mieux de vous mettre à l'abri, bande d'imbéciles ! ai-je crié avant de foncer vers l'aile suivante. Tout le monde dehors ! ai-je hurlé autant pour ces enfants que pour ceux de l'aile précédente qui m'avaient suivie, fort judicieusement, à une distance raisonnable. Au feu ! Ne restez pas là ! Allez ! Vous voyez l'escalier là-bas ? C'est la sortie !

La peur me gagnait peu à peu, moi aussi. Jamais je n'étais restée enflammée si longtemps. Y avait-il un point de non-retour ? Allais-je finir grillée au charbon de bois ?

Pas le temps de penser à cela. Soudain, des centaines d'enfants terrifiés, sales, la peau sur les os, sont passés à côté de moi. Et eux, il était hors de question que je leur mette le feu.

CHAPITRE 93

WHIT

Après avoir déposé les enfants chez Garfunkel, nous avons décidé d'éviter le « voyage en métro fatal » en empruntant un autre itinéraire pour retourner à la prison. Fidèle à la promesse que je m'étais faite à moi-même, j'ai évité de suivre les indications d'Emmet à tout prix.

Cette fois, c'est Margo qui me servait de copilote. Nous étions seuls dans la camionnette, les autres ayant prévu de nous retrouver sur place, près des grilles de la prison.

Avant notre départ, j'avais réussi un assez bon tour de magie et changé la couleur de la voiture en bleu foncé délavé avec une plaque d'immatriculation de l'Idaho.

Mais ce n'était pas le seul gros changement.

Il n'y avait pas si longtemps, j'avais adopté l'apparence d'un trentenaire, puis j'étais redevenu un ado – sans transition – juste au moment où je grimpais les marches de l'Escalator de chez Garfunkel. J'avais trébuché et dégringolé plusieurs marches. Pas très cool.

Sur le trajet du retour jusqu'à la prison, avec Margo, j'y ai réfléchi et me suis demandé si Wisty avait elle aussi repris son apparence normale aussi brutalement.

Je n'avais aucune idée d'où elle était, ce qu'elle faisait ni quelle forme elle aurait quand je la verrais. Plate comme une crêpe, peut-être ? Ou avec quelques membres en moins, restés coincés dans un piège à souris ?

— Tu as l'air inquiet, Whit, a constaté Margo, le front plissé par l'inquiétude.

— Euh... ouais. (Vu mon ton, j'aurais tout aussi bien pu répondre : « Sans blague ? ») Pas toi ?

— Oui et non. Je veux dire... oui, tout peut arriver. Mais bon... c'est ma vie à présent. Je suis habituée. Je n'ai plus ni parents ni frères et sœurs ; je n'ai rien à perdre. Et tout à gagner en aidant ces enfants et tes parents.

Je suis resté assis en silence un moment, puis j'ai fini par m'excuser :

— Je suis désolé.

Je ne me souvenais pas de la dernière fois que j'avais prononcé ces paroles en les pensant avec sincérité. Je n'étais pas persuadé de connaître la raison pour laquelle je les prononçais. Mais ils sonnaient juste.

— Ne sois pas désolé, Whit ! Je ne suis pas une héroïne, s'est moquée Margo. Ce qu'il y a d'héroïque, c'est d'affronter sa propre douleur, ce qui est exactement ce que tu fais en ce moment. Je comprends parfaitement, tu sais. Tu as une sœur à laquelle tu tiens beaucoup là-dedans. Et des parents, recherchés morts ou vifs. Ton grand amour est mort mais elle continue de te hanter. Et j'allais oublier : tu es censé être exécuté le jour de ton anniversaire.

— À ce propos, ai-je répondu en souriant du bout des lèvres, ils ont révisé l'ordre du tribunal pour qu'on m'exécute immédiatement.

— C'est quand, ton anniversaire ?

Bonne question. Je n'étais même plus certain de connaître la réponse. J'avais perdu toute notion du temps. Sans compter qu'avec tous les portails que nous avions empruntés, la courbe temporelle était toute chamboulée.

J'ai considéré Margo avec étonnement.

— Je pense que c'est déjà passé.

— Tu m'en diras tant ! a-t-elle répliqué en me gratifiant d'un de ses rares sourires. Et on n'a même pas fêté ça !

Elle a continué à sourire, ses yeux noisette brillants, et elle a inspiré profondément. Ça sentait le coup fourré à plein nez : je savais reconnaître une chanteuse quand j'en voyais une.

— Ne t'avise pas de… ai-je protesté mais elle a continué gaiement.

— Joyeux anniversaire ! Joyeux anniversaire ! Joyeux anniversaire, cher Whit…

Sa voix s'est perdue alors qu'elle regardait ce qui se passait dans mon dos, le front soudain strié de rides.

— C'est quoi, là-bas ? Derrière les fenêtres, en haut du bâtiment principal ?

J'ai pilé aussitôt.

— Des flammes. La prison brûle.

Oh Wisty ! Qu'as-tu encore fait ?

CHAPITRE 94

WISTY

— Fichez le camp ! ai-je hurlé. Vite ! Au feu !

Les enfants, pieds nus, ont trottiné dans les escaliers en métal sans me quitter des yeux, pour la plupart. Quand l'un d'eux s'est tout à coup écrié :

— Mais ! Et les gardes…

— Laisse tomber les gardes ! ai-je rétorqué d'une voix hystérique. Les gardes ont peur de toi, de moi, de tout !

Un regain d'énergie a animé les enfants. Dès que le premier est parvenu au bas des marches, j'ai indiqué les portes principales en veillant à ne pas trop m'approcher des autres détenus.

Les gardes du Nouvel Ordre continuaient d'affluer, avec leurs matraques prêtes à l'emploi, et je me suis jetée sur eux, les bras en croix. Ils ont reculé comme si j'avais la lèpre.

— Restez où vous êtes ! Si vous approchez, les ai-je menacés, je ne vous laisserai pas le choix entre la cuisson bien cuite et *trop* cuite.

Des vagues entières de prisonniers s'échappaient par les portes, passant au-dessous d'un gigantesque portrait de Le Seul-L'Unique. Là, je me suis rendu compte que je ne savais même pas si Whit et les autres attendaient dehors ou pas.

— Sortez ! Dépêchez-vous ! ai-je ordonné, la voix cassée.

Je commençais à avoir vraiment chaud et j'espérais ne pas finir carbonisée moi aussi.

Le feu a pris au niveau du cadre de porte puis toute la pièce s'est embrasée. J'avais semé une guirlande de flammes partout sur mon passage. Avec un peu de chance, une fois tous les enfants sortis, cette prison infernale serait réduite en cendres.

Les derniers détenus semblaient s'éterniser dans le couloir qui menait à la sortie. Pendant ce temps, les gardes évitaient les flammes de leur mieux ou tentaient d'éteindre leurs propres feux. De mon côté, j'atteignais de tels records de température que je n'aurais pas été étonnée d'éclater tel un grain de maïs transformé en pop-corn dans un four à micro-ondes.

Lorsque le dernier prisonnier a finalement passé les portes, les quelques gardes encore présents n'avaient qu'une chose en tête : se venger. Ils se sont approchés vers moi d'un pas lourd, des zombies noircis par mes flammes ; ils agitaient leurs armes d'un air menaçant.

— Han han ! Vous ne voudriez pas finir au barbecue, si ? les ai-je prévenus.

Sur ces paroles, j'ai tourné les talons et me suis engouffrée à mon tour par les portes de sortie en touchant les murs et tout ce que je pouvais d'autre, laissant de multiples empreintes et traînées noires.

J'ai enfin aperçu, devant moi, les morceaux de croissant de lune et les portes qui menaient au-dehors. Et puis – il était temps ! – les grilles de la prison.

Faites que Whit soit là, ai-je pensé. *Pitié.*

La cour intérieure se remplissait toujours plus de gardes et soldats du nouveau régime. Soudain, pourtant, j'ai entendu Feffer aboyer à la manière du monstre sur pattes que nous l'avions autrefois dressée à être. Elle terrorisait des gardes pendant que Margo s'empressait de mettre des enfants en sécurité, hors de l'enceinte de la prison.

J'ai rapidement compté les troupes : Margo, Feffer, Emmet, Sasha… et oui ! Whit ! Ils étaient tous là, occupés à aider les détenus à s'évader.

À bout de souffle, je me sentais vidée, incapable de continuer à nourrir le feu que j'avais allumé. Whit jetait partout des regards inquiets – signe qu'il me cherchait. Étais-je si méconnaissable ?

Alors, il m'a vue et a affiché un air alarmé. Disons plutôt effrayé. Plus effrayé que jamais je ne l'avais vu, même la fois où il était tombé d'un arbre et s'était cassé la jambe à deux endroits.

J'ai essayé de courir vers lui, mais tout ce dont je me souviens à ce moment-là, c'est d'être tombée à genoux et d'avoir entendu une voix abominable qui proclamait :

— Wisteria Allgood, je te condamne à la peine de mort !

CHAPITRE 95

WHIT

La fumée et l'odeur de peinture brûlée m'ont fait tousser et j'ai bien cru que j'allais étouffer. Un nombre croissant d'enfants – plusieurs centaines ont passé les grilles de la prison du Monde d'En Haut. C'était un spectacle merveilleux. Vraiment.

Vive, Wisty, ai-je songé. *Elle a réussi !* Maintenant, il me restait à m'assurer qu'elle était en sécurité et qu'elle avait retrouvé nos parents. Où pouvait-elle bien être ? Et eux ?

Le moment où nous avions repéré les premières flammes de la prison semblait remonter à si longtemps déjà, alors qu'en vérité, cela ne faisait que quelques minutes.

— Dépêchez ! a grondé Margo alors qu'on rassemblait d'autres enfants pour les faire sortir par les grilles dans une sorte de cordon humain à la façon des pompiers. On va passer par les égouts pour s'échapper !

J'ai tendu le cou, cherchant désespérément ma sœur ; sous son apparence d'ado comme de souris, elle restait toutefois introuvable.

Avait-elle déjà rejoint notre camp ? Ou bien était-elle coincée à l'intérieur du bâtiment en feu ? L'avait-on capturée ?

La rue était peuplée d'enfants regroupés par notre seconde équipe, que dirigeait Sasha. Les voitures n'avançaient plus, incapables de circuler. Des alarmes retentissaient dans tous les coins, les phares des véhicules clignotaient. Mais toujours pas de trace de Wisty.

Tout à coup, les derniers enfants ont émergé par les portes de l'établissement et je l'ai enfin aperçue : enflammée des pieds à la tête.

C'était différent cette fois ; c'était pire. Son halo était plus aveuglant, caractéristique d'une chaleur plus forte que tout auparavant. Son visage aux yeux remplis de terreur, sa silhouette qui paraissait soudain si frêle trahissaient un état de faiblesse et d'effroi inédit. Ma sœur semblait au seuil de la mort.

Elle m'a repéré et, même à travers les flammes, son espoir s'est ranimé. Mais ses yeux se sont subitement révulsés et elle s'est abattue sur le bitume comme si on lui avait tiré dessus.

— Va chercher la camionnette ! ai-je ordonné à Margo tandis que je m'élançais vers ma sœur. Je ramène Wisty !

— Ça, c'est ce que tu crois, le sorcier, a retenti une voix caverneuse à faire froid dans le dos, juste derrière moi.

CHAPITRE 96

WHIT

On aurait dit un cauchemar récurrent. Un affreux cauchemar qui ne cessait de revenir me hanter.

La Matrone y faisait irruption, enroulée dans des bandages, avec un teint de cire. À ses côtés, L'Élu qui Juge, Ezekiel Unger, son frère – ça, je ne l'avais pas oublié –, toujours vêtu de sa toge noire déprimante, copie quasi conforme de la Faucheuse.

Des « experts » de la sécurité, armés de fusils de chasse se tenaient derrière eux, en renfort.

Près d'eux… notre cher Jonathan, l'air suffisant et complice.

Une chape de désespoir est tombée sur moi. Je n'aurais jamais cru qu'un habitant du Monde Libre puisse s'abaisser au niveau de traîtrise de Byron Swain et pourtant, à ce que je voyais, c'était le cas de Jonathan.

— Jon ? a haleté Margo.

L'intéressé s'est contenté de hausser les épaules.

— C'est trop dur, c'est trop désespéré comme vie. Le Nouvel Ordre avait mieux à m'offrir que vous. C'est mieux que la prison et la mort. Je crois en L'Unique.

Les yeux de Margo se sont mouillés de larmes de colère. Une fois, je m'étais senti plus fort grâce à elle et j'aurais voulu pouvoir la convaincre que tout allait s'arranger. Même si ce n'était pas vrai.

Un flot de paroles a déferlé dans mon esprit. J'ignorais d'où elles venaient.

— Margo, ils ont peur de nous. Ils ont peur de tout.

Ensuite, j'ai continué à parler sans vraiment réfléchir, jusqu'à ce que mon discours se transforme en mélopée :

Ils ont peur du changement, et le changement, c'est maintenant,
Ils ont peur de la jeunesse, et la jeunesse, c'est nous,
Ils ont peur de la musique, et la musique, c'est toute notre vie,
Ils ont peur des livres, du savoir, des idées,
Mais ce qu'ils redoutent le plus, c'est la magie.

Margo m'a fixé en reniflant, les yeux écarquillés, ses larmes toutefois séchées.

J'ai soulevé Wisty ; bien qu'elle ait été inconsciente, son corps mou avait la légèreté d'une plume. J'ai répété mon incantation, plus fort et avec plus d'énergie cette fois :

Ils ont peur de nous, ils ont peur de tout.
Ils ont peur du changement, et le changement, c'est maintenant.
Ils ont peur de la jeunesse, et la jeunesse, c'est nous.

— Silence ! a tempêté le juge Unger, son visage d'insecte aux traits tirés arborant une teinte de rouge plus cramoisie encore.

— Vous ne perdez rien pour attendre : vous verrez, quand je vous aurai mis la main dessus, a promis la Matrone, en grondant près de lui, ses paupières si plissées qu'on ne voyait plus ses pupilles.

— Ça m'étonnerait, chère Matrone, ai-je rétorqué. Et je vais vous dire pourquoi : vous avez une peur bleue de nous. À raison, d'ailleurs. Les pouvoirs magiques, c'est nous qui les avons. Pas vous.

Quand j'ai repris mon chant, tout le monde a répété avec moi en chœur — Margo, Emmet, Janine, les enfants de la prison — tout le monde sauf Jonathan :

Ils ont peur de nous, ils ont peur de tout.
Ils ont peur du changement, et le changement, c'est maintenant.
Ils ont peur de la jeunesse, et la jeunesse, c'est nous.
Ils ont peur de...

— Assez ! J'en ai plus qu'assez ! a rugi le juge Unger d'une voix tonitruante en frappant la paume de sa main de son autre poing avant de la lever comme pour me frapper. Qu'on exécute le sorcier et la sorcière ! Im-mé-dia-te-ment !

Ma sœur, dans mes bras, a brusquement ouvert les yeux. Je l'ai dévisagée, pris au dépourvu.

Ses iris avaient toujours été bleus jusqu'ici. À présent, ils étaient transparents ou presque, tel du verre poli. Ses cheveux tiraient davantage sur l'auburn que le roux, à l'instar de la couleur de ceux de notre mère. Ses pupilles rougeoyaient. Elle s'est forcée à sourire.

— Salut, grand frère !

— Ta sœur et toi serez brûlés vifs sur un bûcher, ici même, dans cette prison ! (Le juge Unger a vomi sa rage à nos visages.) C'est par le feu qu'on réglera définitivement les problèmes de notre société.

— Toi ! a-t-il interpellé un des types de la sécurité. Ramène-les dans la prison et referme toutes les portes à clé ! Ils aiment jouer avec le feu. Eh bien qu'ils jouent : on va leur en donner du feu, nous. Leur peine de mort est mon jugement final, par ordre du tribunal de ce pays. Et je suis L'Élu qui Juge !

— Non ! s'est élevée une voix d'une grande puissance.

Wisty avait parlé.

CHAPITRE 97

WHIT

— Vous pouvez toujours rêver ! a protesté Wisty en se dégageant de mon étreinte.

J'ignorais totalement où elle voulait en venir. Ce que je savais en revanche, c'est qu'il était inutile d'essayer de l'arrêter. Lentement, elle a tourné la tête vers la Matrone puis elle a fixé le juge Unger. J'ai deviné qu'elle comptait recourir à la sorcellerie et n'ai pu m'empêcher de me recroqueviller sur moi-même. On n'avait plus le temps de commettre le moindre faux pas.

— Fais-moi confiance, m'a chuchoté ma sœur. (Elle a confronté ses accusateurs.) Vous prétendez être L'Unique, a-t-elle lancé sur un ton d'autorité que je ne lui connaissais pas. Mais vous allez perdre votre forme actuelle.

Pour la première fois depuis que j'avais assisté aux incantations de Wisty, j'ai été parcouru de frissons.

— Nous sommes des sorciers, a-t-elle poursuivi d'une voix de plus en plus puissante.

Comme vous le voyez.
Mais étant donné que vous ne méritez
Pas votre demeure actuelle
Nous vous envoyons en une étincelle…

Nous avons tous retenu notre souffle, dans l'attente – et la crainte – de ce qu'elle allait dire. Nous en tremblions. Pour un peu, j'aurais préféré qu'elle n'aille pas au bout de sa formule.

— Euh… *au pays des cafards* ! a-t-elle terminé. Où vous serez jugé en tant que criminel odieux en vertu de la loi des cafards !

Elle a jeté ses mains en direction du juge Unger qui s'est ratatiné sur place.

— Je te transfère tous mes pouvoirs, ai-je informé ma sœur à voix basse. Sois notre porte-parole à tous les deux.

On aurait dit que des courants électriques transitaient par moi ; l'impression qu'une chaleur vive passait par mes mains pour rejoindre Wisty.

Elle a claqué des doigts en direction du juge Unger. Cette fois-ci, il a poussé un cri alors qu'un éclair de lumière blanche l'enveloppait de la tête aux pieds, lui, le monstre en bottes cavalières noires.

Nous avons tous patienté, tétanisés, puis, le nuage de fumée dissipé, nous avons découvert, sur la chaussée, le plus gros et le plus laid des cafards que la Terre ait porté.

La Matrone, écœurée, a fixé la monstrueuse créature.

— À votre tour, maintenant, l'a menacée Wisty.

La femme a lancé un regard aux hommes de la sécurité qui lui ont répondu « non » de la tête. Après une volte-face, ils ont fendu la foule en sens inverse. Jonathan avec eux.

La dernière fois que j'ai vu la Matrone, elle s'éloignait d'un pas lourd et maladroit en hurlant à pleins poumons. Elle avait reçu notre message ; à présent, elle pourrait le faire passer... et remonter jusqu'au Conseils des Élus.

Le combat ne faisait que commencer !

Wisty a ouvert grands les yeux.

— On a réussi... je crois ! a-t-elle constaté d'une voix rauque mais ténue.

Ses iris étaient redevenus bleus.

— Argh ! a crié un enfant.

En baissant les yeux, j'ai aperçu un rat énorme qui filait entre des jambes. Il s'est brusquement emparé du cafard et lui a mangé la tête.

Personnellement, j'ai trouvé cela répugnant, mais Wisty, elle, a éclaté de rire.

— Qu'y a-t-il de si drôle ?

— C'est ce qu'on appelle un juste retour de bâton, a-t-elle commenté tandis que le rongeur s'éloignait en trottinant avec le reste du corps d'insecte d'Ezekiel Unger dans la gueule.

— Tu sais, a-t-elle repris, je préfère quand les rats ne sont pas plus gros que moi. Ils sont presque mignons, tu ne trouves pas ?

Là, elle s'est évanouie à nouveau.
Je sais, ma sœur est *space*.
Mais le plus souvent, c'est une bonne chose.

CHAPITRE 98

WHIT

Voilà, en revanche, ce que ma sœur a raté : en me tournant, je me suis rendu compte que plusieurs des enfants qui étaient prisonniers pleuraient ; certains versaient même des fontaines de larmes quand d'autres sanglotaient en frissonnant, recroquevillés sur eux-mêmes.

Le Seul-L'Unique était apparu – cette fois, sans courant d'air ni aucun autre signe annonciateur.

Il est venu se planter juste devant Wisty et a déclaré :

— Elle est douée. Très douée, Whitford. Vous l'êtes tous les deux. Il faut que vous sachiez que je n'avais bien évidemment pas l'intention de laisser qui que ce soit vous faire du mal. Surtout pas !

J'ai retrouvé ma langue.

— Je parierais là-dessus, bien sûr.

— Absolument. Ceci ne fait pas partie des prophéties. Même moi je n'ai aucun pouvoir là-dessus.

L'Unique a alors plongé ses yeux dans les miens et j'ai eu l'impression qu'ils me transperçaient.

— Tu es au courant des prophéties au sujet de ta sœur et toi, n'est-ce pas ? C'est pour ça qu'il y a autant d'agitation. Vos parents ne vous en ont pas parlé ? Tu veux dire… personne ? Tu ne sais donc pas ?

J'aurais voulu pouvoir le faire souffrir. Au lieu de cela, je ne suis parvenu qu'à marmonner bêtement :

— Quelles prophéties ?

— Oh Whit, Whit, mon pauvre Whit… Eh bien soit, je serai le messager de la légende et du mythe. Écoute-moi attentivement.

» Prophétie numéro un : un garçon et une fille, frère et sœur, naîtront d'un couple de sorciers et leurs pouvoirs dépasseront tous les pouvoirs des sorciers ayant jusqu'ici existé. Cette prophétie, de toute évidence, s'est déjà réalisée.

» Prophétie numéro deux : le garçon et la fille en question mèneront une armée d'enfants qu'ils conduiront à la victoire… Il suffit de regarder autour de vous. Vous avez gagné la bataille à la maison de redressement du Nouvel Ordre, n'est-ce pas ?

» Trois : les frère et sœur connaîtront une grande tristesse et une intense souffrance en même temps qu'une terrible trahison. Je ne vous le souhaite pas. Mais je crois bien que c'est déjà le cas.

» Quatre : ils doivent visiter chacun des cinq Niveaux de Réalité, ce que personne avant eux n'a accompli, ainsi que tirer les enseignements de chaque Niveau. Ça a l'air pire que le collège et le lycée.

» Prophétie numéro cinq : j'y reviendrai plus tard.

» Six : il est prévu que le frère et la sœur finissent par combiner leurs pouvoirs à un autre qu'eux, plus grand encore, pour la défense du bien et la prospérité de tous. Ça a l'air excitant, non ?

L'Unique m'a dévisagé comme s'il tentait de me sonder, de percer un éventuel secret.

— Alors dis-moi, Whitford, que penses-tu de tout ceci ? Suis-je ton ennemi ou ton ami, d'après toi ? Un peu des deux peut-être ? Les choses essentielles dans la vie sont-elles noires et blanches ou bien plutôt grises ? Les fées, les elfes et les Gremlins existent-ils en réalité ? Et reverras-tu Celia un jour ? Je te laisse avec ces pensées et ces questions lourdes de sens.

» Sans oublier cette dernière prophétie, cher prince : les Allgood seront exécutés. C'est la prophétie numéro cinq. Je suis certaine que ta sœur et toi démêlerez tout ça. Passe-lui mon bon souvenir quand elle se réveillera. Vas-y doucement.

CHAPITRE 99

WISTY

— Qu'est-ce qui s'est passé ? ai-je demandé dans un demi-sommeil en rouvrant les yeux sur Whit.

— Tu as fait un cauchemar, Wisty. Tu es malade depuis des jours. Maman, papa et moi, on était vraiment inquiets.

C'est ce que j'aurais aimé entendre quoi qu'il en soit.

J'ai repéré Margo, Sasha et Emmet en arrière-plan. Passé le moment, inévitable, de déception, j'ai toutefois ressenti un immense soulagement en constatant que tout le monde était sain et sauf et qu'ils se faisaient indéniablement du souci pour moi. Même cette abominable fouine de Byron Swain paraissait inquiète.

— Tu ne te souviens pas ? m'a interrogée Whit. La prison, le juge Unger, la Matrone, tous les enfants qui se sont échappés ?

— Si, je m'en rappelle ! (J'ai tenté de me relever.) Si, si. Dans les grandes lignes en tout cas.

— Tu as manqué Le Seul-L'Unique.

— Ah bon ? Vraiment ? Quand ?

— Je te raconterai plus tard. Et les parents ? (Le visage de Whit s'est assombri en lisant l'abattement sur le mien.) Qu'y a-t-il ? Où sont papa et maman ? Wisty ? Qu'est-ce qui ne va pas ?

J'ai examiné un par un les visages autour de moi jusqu'à m'arrêter sur celui de Sasha.

— C'est à *lui* qu'il faut poser la question. Il nous a menti. Papa et maman n'ont jamais été emprisonnés. Sasha nous a menti pour qu'on accepte de les aider. (Un sentiment d'amertume est monté dans ma gorge.) Je ne te le pardonnerai jamais !

Il a fallu quelques instants à Whit pour digérer la nouvelle de cette trahison. En un éclair, son visage est passé de l'incrédulité au désarroi puis au dégoût.

— Moi non plus ! a-t-il grondé, les poings serrés. Je ne te pardonnerai jamais.

Sasha, à aucun moment, n'a tressailli.

— Je m'en remettrai. J'ai connu pire. Bien pire. On avait besoin de vous deux. Dans cette guerre, on est confrontés à l'incarnation du Mal à l'état pur. La fin justifie les moyens, sans exception.

Il a ponctué sa réplique de ce sourire joyeux dont lui seul avait le secret et ça m'a fendu le cœur. Et bouleversée aussi.

À cet instant, je me suis promis de ne jamais laisser la guerre ou quoi que ce soit d'autre avoir cet effet sur moi.

— Tu mériterais que je te change en limace ! ai-je hurlé à Sasha. Tu t'es servi de nous. Tu as gâché notre amitié.

— Tout doux ! m'a conseillé Whit. Tu as été inconsciente plusieurs heures. Il ne vaut pas le coup que tu te mettes dans un état pareil.

— Elle a repris connaissance ! ai-je entendu quelqu'un s'exclamer et je me suis rendu compte que j'étais entourée de centaines d'enfants portant des chapeaux de cotillons, un sifflet à la bouche.

Une couche de serpentins recouvrait le sol de Garfunkel. Nous étions revenus dans le grand magasin.

Feffer, assise sur un canapé, mangeait ce qui ressemblait à du gâteau dans une assiette en papier. En entendant le son de ma voix, elle a bondi vers moi et s'est mise à me lécher le visage.

Je me suis relevée, les jambes flageolantes, le ventre vide et prise d'un léger vertige. Janine s'est faufilée à travers la foule, un verre de soda et une assiette de gâteau dans les mains. Du vrai gâteau ! Trop topitos ! Avec une génoise, du glaçage et tout. Je n'en avais pas mangé depuis… une éternité ! Je ne me suis même pas servie de la fourchette : j'ai attaqué tout de suite, en commençant par le glaçage.

— Un toast aux Libérateurs ! s'est écriée Janine.

Tout le monde a répété après elle.

Mon visage s'est empourpré alors que j'essayais de sourire et d'enfourner un autre morceau de gâteau dans ma bouche en même temps.

— C'était un effort commun, a reconnu Whit. Un toast à vous tous !

Margo-commando fixait mon frère qui arborait en effet l'air d'un héros.

— C'est vous deux qui en avez fait le plus.

— Alors, profitez bien d'aujourd'hui pour être des héros ! a déclaré Janine même si elle n'avait d'yeux que pour Whit.

Je savais que mon frère n'était pas conscient qu'elle avait un faible pour lui. Comme d'habitude, il ne voyait pas plus loin que le bout de son nez. C'est ce que j'aime chez lui.

On m'a tendu un hot dog géant avec toutes les garnitures possibles et imaginables et je l'ai aussitôt englouti juste après le gâteau. Beurk mais miam aussi.

— On insiste sur le mot « aujourd'hui », a clarifié Emmet avec un sourire à glacer le sang. On ne laisse personne être un héros plus d'une journée ; sinon, ça leur monte à la tête. Le culte des héros a tendance à corrompre les gens. Ou à les transformer en erlenmeyers.

— Message reçu, a répliqué Whit.

— Cela dit, a poursuivi Janine, pour ton courage et tes initiatives allant bien au-delà de ce qu'on attendait de toi, tu es officiellement promu chauffeur en cas de mission de sauvetage. On a caché la camionnette dans un endroit secret, derrière les lignes ennemies. Elle t'attend pour le prochain raid.

— Cette boîte de conserve mortelle ? a répliqué Whit.

— Véhicule de secours, a rectifié Janine. On vient d'entendre parler d'un autre groupe d'enfants dans un centre commercial désaffecté. Ils ont un besoin d'aide urgent.

— Quoi ? ai-je bafouillé, la bouche encore pleine.

— Ils ont besoin d'aide, a répété Janine.

— Une autre mission ? a voulu savoir Whit.

Il cogitait dur – ça se voyait – et ses yeux ont croisé les miens. Je savais que nous pensions la même chose : nos parents étaient là, quelque part, eux aussi.

— D'accord, ai-je fini par accepter.

Mon frère a approuvé d'un hochement de tête. Feffer a sauté sur ma jambe et je l'ai caressée.

— Mais oui, toi aussi tu viens, l'ai-je rassurée.

— Et moi aussi, a fait une petite voix près de mon oreille.

CHAPITRE 100

WISTY

J'ai tourné la tête et découvert Byron La Fouine *alias* le traître de service, perché sur une étagère, juste à côté ; il était enroulé sur lui-même dans une forme de S.

— Non. *Toi*, tu ne viens pas, ai-je rétorqué avec autorité. Hors de question que tu nous suives où que ce soit, sale vermine maléfique !

— Han han, a répondu Byron sur un ton qui confirmait l'impression que j'avais de lui. (Quelqu'un lui avait donné la moitié d'un hot dog et il était occupé à mâcher.) J'ai changé. Je vous aime bien maintenant. Je suis de votre côté.

— Mais oui, c'est ça. Tu restes ici, je te dis.

Du coin de l'œil, j'ai repéré Janine, Margo et Emmet ; ils secouaient la tête avec énergie.

— Il faut qu'il vous accompagne, a décrété Janine. C'est vous qui l'avez amené ici ; il est sous votre responsabilité. On ne garde pas la fouine ici.

— J'ai un truc à vous dire, a commencé Byron avec raideur. Je vous dois des excuses. (J'ai ouvert grands les yeux.) À l'époque, quand on s'est… rencontrés, j'ai cru que je faisais la bonne chose. Cela me paraissait la seule option sensée. Mais après avoir vu les enfants du Monde Libre et vous, à l'hôpital, et le chien passeur… je me suis rendu compte que j'aurais pu agir différemment… par rapport à ma sœur, notamment… Enfin, voilà, j'ai changé de point de vue. C'est tout ce que je voulais dire.

Whit et moi avons échangé un regard de surprise.

— Soit, a concédé mon frère. On l'emmènera puisque c'est comme ça.

Là, il s'est produit une autre nouveauté. Des larmes, de *vraies* larmes se sont mises à couler en abondance des yeux de la vilaine fouine.

Les gens changent-ils vraiment ? me suis-je demandé. *Peut-être.*

ÉPILOGUE

ENFIN À LA MAISON

CHAPITRE 101

WISTY

C'était drôlement stressant de se retrouver livrés à nous-mêmes, Whit et moi, dans une camionnette volée. Mais bon, c'était comme ça : rien que nous, et notre petite animalerie – Feffer et Byron, la fouine ex-traîtresse et donneuse de leçons la plus soûlante au monde.

Avec nos vêtements propres et nos cheveux coiffés – les miens dans leurs superbes reflets auburn –, nous passerions sans aucun doute inaperçus dans le Nouvel Ordre, ce qui devait garantir notre sécurité. Nous nous efforcions d'avoir davantage confiance en nous et en nos pouvoirs magiques. Plus facile à dire qu'à faire.

Whit m'avait raconté son entrevue avec sa Majesté Unique et rapporté les détails des prophéties, mais celle que nous avions vue sur le mur, chez Garfunkel, n'avait pas été mentionnée.

Mon pauvre frère se languissait terriblement de Celia et espérait de tout cœur qu'elle lui rendrait visite, ne serait-ce qu'en rêve au moins. Quant à moi, je profitais du trajet pour écouter à fond le premier album de Stonesmack.

— Tiens. J'ai besoin d'un coup de main, a demandé Byron en me tendant l'extrémité d'un bandana. Si tu attaches ça solidement à la poignée, là, ça me fera un petit hamac sympa.

J'ai pris le morceau de tissu et me suis retournée sur mon siège : il avait réussi à attacher l'autre extrémité à la poignée arrière. Avec résignation, j'ai noué l'autre extrémité à celle au-dessus de ma tête.

— Voilà ! C'est exactement ce que je voulais ! s'est exclamé Byron en bondissant dans son mini hamac où il s'est blotti, seul son nez visible.

J'ai poussé un soupir.

— Hé, m'a interpellée Whit. Ça ne te rappelle pas quelque chose ? Regarde.

Par la fenêtre, j'ai contemplé le paysage. Nous avons dépassé des champs, de maïs pour la plupart, où des panneaux annonçaient : « Du maïs sain pour des gens sains – Produit garanti sans pesticides, modification génétique ou magique. Cultivé en vertu de la réglementation du Conseil de l'Agriculture du Nouvel Ordre. »

Des messages aussi *space* avaient dû être rédigés par L'Élu qui Invente des Panneaux Débiles.

Cependant, je voyais où Whit voulait en venir. Quelque chose, dans la forme du paysage et la ligne d'horizon, me semblait en effet familier. Les muscles de mon dos et de mon cou se sont contractés. L'impression de déjà-vu a tendance à entraîner chez moi… je ne sais pas… disons… la paranoïa ?

— C'est quoi, là-bas ? a dit Whit en se garant sur le bas-côté de la route.

Il pointait du doigt une silhouette, au loin, qui émergeait de l'océan sans fin d'épis alignés en rangs parfaits.

— Un arbre ? ai-je imaginé tout en sentant mon estomac se nouer.

Pourquoi le NO aurait-il laissé un seul arbre au milieu d'un champ ?

Nous sommes sortis de la voiture et, sans échanger une parole, nous avons marché en direction de l'arbre, Feffer sur nos talons. Nous avons traversé plusieurs champs et des chemins dont, sous la couche de poussière, on devinait encore la double bande jaune indiquant qu'ils avaient autrefois été des rues.

Cela nous a pris une bonne demi-heure pour aller jusque-là ; tout ce temps, le nœud dans mon estomac n'a fait que se resserrer.

Mais ce n'est qu'au moment de découvrir la cage à oiseaux que j'ai cru vomir.

C'était *notre* cage à oiseaux – celle que mon père nous avait construite, à Whit, ma mère et moi. Clouée à l'endroit exact où elle avait toujours été, six mètres au-dessus du sol, à l'imposant tronc du chêne de notre jardin.

Combien de fois avais-je contemplé les branches de cet arbre ? D'après mon père, il avait plus de cent ans. Whit et moi avions l'habitude d'y grimper quand nous étions petits. Mon frère s'était servi de ses glands en guise de balles de base-ball. Parfois, il les envoyait jusque sur le toit du voisin. Il était également tombé de ce chêne, se cassant la jambe comme si ses os avaient été en porcelaine.

L'arbre, dans sa solitude, trônait à présent en bordure d'un champ récemment planté par le Nouvel Ordre.

Tout le reste, chacune des maisons autour, y compris la nôtre, avait disparu.

CHAPITRE 102

WISTY

— Où est la maison ? Où sont maman et papa ? ai-je demandé dans un murmure sans quitter des yeux les crêtes des épis de maïs qui couvraient l'endroit où nous avions autrefois habité, grandi, passé des moments si heureux (hormis les jours où je rentrais de deux heures de colle, peut-être).

Je me souvenais des paroles de ma mère, à chacun de nos retours de vacances. Je m'en souvenais au mot près :

Du nord à l'est, du sud à l'ouest,
Notre maison est au cœur.
Quelles que soient nos destinations, c'est elle la finale et la meilleure,
Dites cœur, elle vous ouvre son intérieur.

Pour être honnête, je n'avais jamais vraiment compris cette strophe, surtout la dernière ligne. Parler du cœur ? Avec votre cœur ? Ou bien s'adresse-t-elle à quelqu'un surnommé « Cœur » ?

J'ai murmuré à nouveau les vers, avec la même perplexité, qui ne m'avait pas quittée depuis le début de ce cauchemar éveillé.

— *Dites cœur, elle vous ouvre son intérieur*, a formulé Whit d'un air songeur.

— *Dites cœur*, ai-je répété après lui, le cœur serré. Quand tout à coup…

— Oh. Attends. *Dites cœur* !

Je me suis avancée vers l'endroit où notre perron se trouvait autrefois.

— *Cœur*, ai-je articulé tout haut. *Cœur*.

Ensuite, j'ai retenu mon souffle tandis qu'une forme fantomatique se dessinait devant nous. C'était notre maison ; on voyait à travers, tant elle était vaporeuse. Seulement, le souvenir de notre maison, son essence était là, jusque dans le détail du lierre qui grimpait sur le mur de la façade sud et d'un ballon de football dégonflé qui avait appartenu à mon frère.

Alors, la porte d'entrée s'est ouverte et mon cœur s'est mis à tambouriner dans ma poitrine.

Pitié. Faites que Le Seul-L'Unique ne se cache pas là-dessous.

CHAPITRE 103

WISTY

— Maman, ai-je chuchoté voyant sa silhouette descendre l'escalier. Papa.

Ils se sont approchés de nous et, naturellement, nous aurions voulu les serrer dans nos bras, mais c'était aussi impossible que pour Whit d'étreindre Celia.

J'ai alors compris quelque chose de terrible.

— Vous êtes des Semi-Lumières ? (Ma voix s'est cassée alors que je m'apprêtais à éclater en sanglots.) Vous êtes morts ?

— Nous ne sommes pas morts, Wisty, a rectifié maman. Nos corps sont simplement à un autre endroit. Vous nous verrez pour de vrai très bientôt. Je l'espère en tout cas.

— Maman...

La joie d'entendre ses mots m'a bouleversée. J'avais eu mon compte d'émotions fortes, les bonnes comme les mauvaises, et je priais pour que ces montagnes russes s'arrêtent. J'ai tendu les bras pour essayer de l'étreindre une nouvelle fois.

— Mais alors, pourquoi on ne peut pas vous toucher ?

— Mes trésors, a répondu ma mère (et j'ai su que ça ne pouvait être qu'elle), nous sommes en vie, croyez-moi. Mais nous ne sommes pas encore ici physiquement. C'est la magie qui nous a conduits jusqu'à vous aujourd'hui… La magie de quelqu'un d'autre.

Mon père est intervenu à son tour.

— Ce qu'on veut que vous sachiez, c'est qu'on est fiers de vous. Pendant votre séjour en prison. La façon dont vous avez secouru ces enfants. Votre manière de traiter avec ce juge diabolique et corrompu. Ou avec celui qui *se prend* pour L'Élu. Vous avez géré tout ça avec un tel courage !

— Ensemble, vous représentez le présent et l'avenir, a déclaré ma mère, un sourire sur les lèvres. Nous savons désormais que vous êtes prêts à affronter ce qui vous attend. Tout ceci n'était qu'un échauffement.

— Un échauffement ? Avant quoi ? me suis-je inquiétée. Moi, tout ce que je veux, c'est rentrer à la maison.

Ma mère a souri d'un air triste et rêveur.

— Vous verrez. Mais d'abord, il faut que tu te persuades d'une chose, Wisty : tu es une excellente sorcière. Un jour, tu seras aussi une musicienne très célèbre.

— Quant à toi, Whit, a continué mon père, tu es un sorcier hors pair. Et tu ne me croiras peut-être pas, mais un jour, tu deviendras un écrivain de grande renommée.

La nouvelle a atterré mon frère.

— Cette histoire de sorcier, ce n'est plus un scoop à présent, papa, mais... un écrivain ? Tu me fais marcher ?

— As-tu ton journal avec toi ? lui a demandé notre père en gardant son sérieux. (Là, il m'a regardée.) Et toi, Wisty, ta baguette ? Ne me dis pas que tu l'as perdue.

J'ai répondu « non » de la tête et la lui ai tendue pendant que Whit sortait son journal de sa ceinture. Nous nous étions donné un mal fou pour garder ces objets en sécurité. À quoi bon, pourtant ? Parce que j'étais destinée à une brillante carrière de musicienne ? Et Whit – on parle de mon frère, là ! –, à celle d'un écrivain ? Quel intérêt, la musique et l'écriture, en des temps si durs ?

Ma mère a approché la main de ma baguette couverte de traces de coups et de crasse.

— Bon, Wisty, je pense que tu as prouvé que tu étais mûre pour ça. Redonne à cet objet son apparence réelle.

Je m'étais habituée au goût de l'échec, mais la dernière chose dont j'avais envie, c'était d'échouer devant mes parents.

— Maman, ai-je dit pour gagner du temps, tu sais bien que j'ai rarement la moyenne dans cette matière.

— La différence, c'est que cette fois, je suis là. Regarde au fond de mes yeux : ils renferment tous les secrets.

Ça remonte à quand, la dernière fois que vous avez regardé vos parents dans le blanc des yeux ? Je parie que vous ne vous en souvenez même pas. Lorsque vous étiez un bébé peut-être et que vous et vos parents vous contempliez avec l'air niais. Eh bien, vous seriez surpris d'apprendre tout ce qui se passe, là-dedans. C'est plutôt flippant soit dit en passant. Mais dans le bon sens du terme. Je ne vous en dis pas plus. Vous n'aurez qu'à essayer vous-même à l'occasion.

— *Dites cœur, elle vous ouvre son intérieur*, a répété ma mère tout bas.

J'ai obéi.

Et en regardant à nouveau la baguette, je me suis rendu compte qu'elle s'était transformée en baguette magique. Une baguette magique toute fine, noire. Une véritable baguette magique de sorcière !

Comme moi, vous pensiez sûrement que les baguettes magiques étaient tout droit sorties des légendes fantastiques et des contes de fées. Eh bien, figurez-vous que nous nous trompions, vous et moi. Détail rare dans l'histoire de ma vie : j'étais sans voix.

— À ton tour, Whit. Ouvre le journal et regarde-moi.

Papa a placé les mains au-dessus des épaules de mon frère et, tandis que ma mère et moi les observions qui communiquaient sans paroles, les pages du livre se sont couvertes de leçons, d'explications, d'incantations – tout ce qu'un sorcier et une sorcière ont besoin de savoir.

Whit m'a chuchoté discrètement :

— Bien content de ne pas l'avoir laissé en prison.

— Nous vous aimons de tout notre cœur, nous a assuré notre mère. Mais l'heure est venue pour nous de partir.

— On vous adore, les enfants, a insisté notre père. Au revoir. À bientôt.

— Non ! Ne partez pas ! me suis-je écriée. (Déjà, leurs silhouettes s'estompaient.) Maman ! Je t'aime ! Reviens ! Ne nous laissez pas tout seuls. Pas encore. S'il vous plaît !

Ils ont pourtant disparu. Ainsi que notre maison. Et même la cage à oiseaux.

Je suis tombée à genoux sous le soleil. Feffer m'a léché la joue. Les chiens ont toujours le bon réflexe, pas vrai ?

Passé un moment, je me suis finalement relevée avec peine et Whit m'a serrée dans ses bras. Fort. Et longtemps.

— Ce livre est incroyable, a-t-il commenté pour tenter de me changer les idées. Tu vois de quoi je parle ?

Il m'a mis le livre ouvert sous le nez. J'ai reniflé et l'ai examiné. C'est vrai qu'il était extraordinaire.

« Comment "dé-fouiner" quelqu'un », disait la page dans une écriture très travaillée. Les sourcils froncés, j'ai poursuivi ma lecture : « Si vous avez accidentellement changé une personne en fouine et que vous souhaitez lui rendre son apparence normale, commencez par... »

J'ai considéré Whit un instant.

— Déchire cette page, tu veux bien ?

— J'sais pas trop. La fouine pourrait nous être utile en humain un de ces jours. Bref ! (Il m'a tirée par la manche.) On a du pain sur la planche. Des enfants à sauver, le régime du Nouvel Ordre à renverser… Mademoiselle la sorcière.

— OK, le sorcier, ai-je consenti avec un soupir.

J'étais parée. Quoi qu'il arrive. Quoi qu'il *nous* arrive. En tout cas, c'est ce que je pensais. Après tout, la vilaine méchante sorcière, c'était moi. Quant à Whit, c'était un sorcier ultra cool.

Là, la série « événements bizarroïdes » a repris : Byron Swain est sorti du champ de maïs par où nous étions arrivés et il n'avait plus l'apparence d'une fouine du tout.

— Pas la peine de me dévisager avec cet air-là, a-t-il dit. C'est votre mère qui m'a rendu mon apparence. Elle m'a demandé de garder un œil sur vous.

Sur ces paroles, nous sommes partis renverser le Nouvel Ordre.

Sauf que tout ne s'est pas déroulé exactement selon notre plan.

Mais selon les *prophéties*.

ÉPILOGUE

CELUI-LÀ, C'EST LE BON

CHAPITRE 104

WISTY

Ce qui, bien sûr, nous ramène à notre point de départ : l'attente de notre dernière heure, par pendaison dans un stade plein à craquer de badauds lâches et où présidait un ennemi en toge noire qui me file la chair de poule comme personne.

Sérieusement, l'énergie négative que dégage Le Seul-L'Unique a la force d'une centrale électrique.

Et le plus déconcertant n'est pas l'emprise qu'il a sur les gens réunis dans ce stade, depuis les gardes zélés, en faction à chacune des entrées, jusqu'au clan d'adolescents, la bouche béante, vêtus de sweat-shirts aux couleurs vives à l'effigie du NO, assis sur les poteaux de but, à l'extrémité du terrain.

Non, ce qui me stresse le plus, c'est que je sens qu'il y a de la magie en lui. Et pas qu'un peu.

Son Unicité, d'un geste, a signifié à la foule de se taire, et celle-ci s'est exécutée avant même la fin de son geste. Combien de fois, dans l'histoire de l'humanité, quelqu'un comme lui, a-t-il pris le contrôle de toute une société ? Vous connaissez la réponse, les amis : bien trop !

On dirait qu'il s'apprête à prononcer un discours. Si c'est le cas, je vais craquer. C'est vrai ! Comme si cela ne suffisait pas que son faciès diabolique soit parmi les derniers trucs que nous verrions, nous les Allgood, il faut en plus que ses paroles soient les dernières choses que nous entendions.

C'est-à-dire… à moins que mon impression vague mais croissante soit une intuition de sorcière. Vous voyez, j'ai un pressentiment : je me dis qu'au dernier moment, nous allons réussir à trouver une issue pour sortir de cette situation désastreuse… et que nous allons survivre pour continuer le combat et, avec de la chance, contribuer au bonheur et à la prospérité de tous (voire la prophétie numéro six).

Mais on n'y est pas encore. À cet instant précis, il n'y a que du silence.

Comment cent mille personnes peuvent-elles garder un calme pareil ? Et si parfait qu'on peut entendre une brise légère passer sur le stade.

Un calme tel qu'on ne peut qu'avoir peur, très peur.

Et vous, comment allez-vous – où que vous soyez ? Écoutez-moi, s'il vous plaît : profitez de l'instant présent, sans crainte du lendemain. C'est une question d'esprit, de vie, d'attitude… Partez à la découverte du monde, remplissez votre tête de musiques, d'idées et de paysages plus grands que vous. On ne sait que trop bien, à la lumière des antécédents de l'Histoire – sans parler de la réalité actuelle – ce qui risque de survenir si on reste sans rien dire et qu'on fait comme tout le monde.

Et ne vous inquiétez pas trop pour Whit et moi. La suite de nos aventures vous parviendra d'une façon ou d'une autre.

Vous avez ma parole.

Et en bonne sorcière, je tiens toujours mes promesses.

À SUIVRE...

EXTRAITS DE
LA PROPAGANDE
DU NOUVEL ORDRE

*telle que diffusée
par le Conseil des « Arts »
du Nouvel Ordre*

OUVRAGES INTERDITS POUR LEURS PROPOS DIFFAMATOIRES
Tels que dictés par L'Élu qui bannit les livres

L'Invention de Bruno Genet : Ouvrage expérimental répugnant de dissension poussée à l'extrême, mariant un texte mélodramatique à des images. Cette histoire – la vie d'un jeune inventeur – a distrait de nombreux lecteurs de tous âges et sérieusement compromis la productivité des élèves, des employés et des citoyens du monde entier.

Le Petit Monde de Margaret : Un conte qui met en scène une fillette, l'animal de ferme dont elle s'est follement entichée et un nouvel ami qui sauve la mise de manière totalement inattendue. Face à une telle pauvreté situationnelle, son immense popularité illustre parfaitement la faillite de la société humaine à l'aube du Nouvel Ordre.

L'accroche-peur : L'incarnation romanesque de la corruption où la jeunesse, à l'heure de sa majorité, tente de contaminer le peuple à coup de cynisme et à travers un regard las sur le monde.

Le Voleur de tonnerre : Cet ouvrage fictif, émaillé de références à certaines des légendes les plus excentriques de l'Ancien Monde, porte sur un garçon, Percival Johnson, qui vole les dieux et attire leur foudre sur lui. La série complète des mésaventures de Percival Johnson est interdite.

La Chute des chasseurs de rats : Une saga condamnée à la censure immédiate dans laquelle une meute de rongeurs rencontre de terribles déconvenues suite à son usurpation des mœurs humaines.

Gary Blotter et la confrérie des losers : Une histoire ô combien dérangeante où le héros – un garçon en proie à des hallucinations – se rend compte que son emploi en tant que scribe est largement facilité par le recours à de pseudo-pouvoirs magiques.

La saga Firegirl : Où un folklore fort discutable fait la promotion de relations « amoureuses » et secrètes entre des humains et des non-humains. Cette série a engendré un nombre incommensurable de cultes maniaques de la féminité chez les sujets enclins à cette vénération.

L'Aîné des dragons : Cette épopée féérique sans queue ni tête ne suggère pas seulement que les mineurs sont aptes au leadership, elle porte également atteinte au Nouvel Ordre en ce qu'elle glorifie le lézard cracheur de feu, personnage dont le mythe n'est plus à démontrer depuis longtemps.

PERSONNES RECONNUES COUPABLES DE HAUT TAPAGE DANS L'ANCIEN ORDRE
Telles que définies par L'Élu qui contrôle les stimuli auditifs

LES GROANING BONES : Leur composition a changé tout au long des nombreuses décennies où ils ont joué du pseudo-rock'n'roll mais, à compter de leurs chansons horribles telles que Emerald Wednesday et [I've Got No] Retribution, ils furent parmi les groupes à succès les plus importants de leur époque marquée par l'ignorance.

RON SAYER : Cette jeune star du blues/rock a réussi l'exploit inexpliqué de gagner des récompenses, de sortir avec des superstars et de gagner la faveur d'un public dévoué à cause de chansons comme Your Skin Is an Amusement Park.

B4 : Le groupe originaire d'Emerald Isle qui s'est abattu sur le monde au cours de la première vague New Wave (littéralement, « Nouvelle Vague » ; aucun rapport – ni de près, ni de loin, avec le Nouvel Ordre), puis d'une deuxième vague et enfin d'une troisième. Un des groupes les plus populaires au franc-parler le plus virulent de cette sombre époque.

WE SHALL BE TITANS : Un groupe de rock mettant en scène un accordéoniste, notamment, et dont le ridicule patent n'a toutefois pas empêché la popularité. Ses « tubes » au goût fort douteux ont servi de bandes originales à des séries télévisées aux heures de grande écoute, à l'époque où il existait plus d'une chaîne TV.

SSS : Les Sorciers Sans Soucis est un groupe séditieux ayant malheureusement ouvert la voie à l'intolérable rap pour sorciers purs de durs.

STONESMACK : Leur premier album, A Flood of Redness to the Face, a propulsé ce groupe sur le devant de la scène internationale jusqu'à l'avènement du Nouvel Ordre. Un soulagement !

THE WALKING HEADS : D'abord rockers amateurs se prévalant du statut d'artistes, ils ont tout de même fini leur carrière au rang de superstars. Les archives d'un de leurs concerts prouvent la démence de leurs fans, capables de payer pour les voir sur scène.

TOASTERFACE : Un groupe de rock alternatif assez fou pour produire un album gratuit à l'intention de leurs fans avant de nier tout profit aux autorités fiscales de leur temps.

LAY-Z : Un rappeur dont la musique au ton mordant et aux paroles provocatrices est devenue si populaire qu'il ne s'est même plus donné la peine de terminer ses albums, perdant ainsi contact avec ses fans.

MUSÉES AYANT FORT HEUREUSEMENT ÉTÉ RASÉS PAR LE NOUVEL ORDRE

Tels que mandatés par L'Élu qui microgère les lieux de rassemblement publics

LE POPA : Pavillon de l'art progressif. Situé dans la ville peu fréquentable sur le plus artistique de New Gotham, ce chef-d'horreur aux parois en verre monstrueuses a servi de dépôt aux multiples œuvres d'art les plus risibles à l'époque de ce qui a été pompeusement considéré comme l'âge moderne.

LE BRITNEY : Située elle aussi dans la ville aux mille vices de New Gotham, cette institution dépravée est devenue célèbre à cause de sa biennale, une exposition aux immondices non seulement condamnables d'un point de vue esthétique mais aussi contraires à la morale. Ses mécènes, pourtant, les ont définies comme étant le mode d'expression actuel des artistes en vogue.

LE BETELHEIM : Ce musée à la dangereuse architecture – une spirale – figurait parmi les galeries les plus excentriques de l'ancien monde.

LE JONESONIAN : Le musée national de l'un des pays les plus grands et les plus incultes en matière de goût. Composé de sous-musées, il couvrait en effet un éventail de banalités absurdes, des timbres-poste aux avions en passant par la sculpture.

LA FATE GALLERY : Abritant l'une des plus importantes collections mondiales d'art ancien et d'art qualifié de « moderne », ce musée est l'illustration parfaite de la fin aussi tragique que logique qu'a connue la civilisation passée.

LE FUSILI : Situé dans l'une des plus vieilles villes de l'Ancien Monde, il figurait parmi les plus célèbres de son temps. Il contenait de nombreuses œuvres datant de la période baptisée « Renaissance » mais qui trahit en réalité le summum des Âges Sombres.

ARTISTES « VISUELS » AYANT FINI DE POLLUER LE MONDE

Tels qu'annotés par L'Élu qui évalue les stimuli visuels

PEPE POMPANO : Considéré par beaucoup comme le peintre majeur de l'avant-dernier siècle de l'Ancien Monde. Ses « œuvres » font penser aux dessins d'un enfant de maternelle. L'un de ses tableaux, Magia, censé représenter une ville détruite par les bombardements, était si grand qu'il a fallu presque vingt minutes pour le brûler.

Molock Trollack : Un peintre rendu étonnamment célèbre par sa pratique des explosions de pot de peintures sur ses toiles.

Max Earnest : Un peintre et sculpteur gravement dérangé, ignorant tout des proportions dans l'art et dont les œuvres auraient mérité d'être accrochées dans les prisons pour punir les détenus — si ce n'est que cet acte aurait sans conteste été jugé totalement inhumain.

De Glooming : La rumeur court toujours selon laquelle De Glooming n'aurait en fait jamais existé. Ce canular aurait servi à illustrer la défaillance ultime des goûts artistiques de son époque. Un mot pour résumer l'emploi des formes et l'usage des couleurs dans les œuvres de De Glooming : répugnant.

Margie O'Greefe : Aux temps de Grande Infortune, lorsque les femmes n'étaient pas soumises à un contrôle digne de ce nom et que leur expression artistique était encore libre, cette femme a rendu populaire la représentation plate et morne de réalités sans détails ni justesse dimensionnelle.

Frieda Halo : Une autre rebelle prétendument artiste qui s'est souvent adonnée à outrance à l'auto-portrait dans des positions gênantes, indécentes et repoussantes à l'époque de la Grande Infortune lorsque les auto-portraits échappaient à un contrôle strict et largement nécessaire. Aux temps éclairés et sans complications qui sont les nôtres, l'auto-portrait a été heureusement limité aux représentations des Élus du Conseil.

MOTS BANNIS DU DICTIONNAIRE POUR LEUR NON PERTINENCE EXTRÊME OU LEUR CÔTÉ SUBERVSIF
Tel que décrété par L'Élu qui Corrige le Dictionnaire

Craignos *(adjectif)* :
qui est caractérisé par une extrême pauvreté en matière de confort et de biens de première nécessité.

Dickens *(nom)* :
nom propre substantivé qui dénote la pauvreté et la détresse caractéristique des temps passés, avant l'accession de Le Seul L'Unique au pouvoir et le sauvetage, par ses soins, du Monde d'En Haut. < Exemple d'usage : Jusqu'à l'avènement du Nouvel Ordre, 99 % de la population mondiale vivait à la Dickens. >

Droit Étroit *(nom)* :

a. personne ennuyeuse faisant tout dans les règles. *b.* (capitalisé) Dans le contexte des mythes et légendes de l'époque passée, animal ou personne capable d'emprunter un passage secret menant à un autre univers ou à une dimension parallèle (voir Passeur). < Exemple d'usage : Étant donné que les portails entre dimensions parallèles n'existent pas, il est inutile de se sentir insulté lorsqu'on se fait appeler Droit Étroit. >

Erlenmeyer *(adjectif et nom)* :

qui caractérise ou incarne tant la rationalité scientifique qu'il passe pour un imbécile en société. < Exemple d'usage : Les Résistants sans pitié traitèrent le partisan du Nouvel Ordre d'erlenmeyer et cessèrent systématiquement de l'impliquer dans leurs activités. >

Passeur *(nom)* :

a. personne conduisant une embarcation pour traverser un cours ou une étendue d'eau. *b.* (sport) joueur effectuant une passe. *c.* Dans le contexte des mythes et légendes de l'époque passée, animal ou personne capable d'emprunter un passage secret menant à un autre univers ou à une dimension parallèle. (voir Droit Étroit). < Exemple d'usage : À la fin d'un conte folklorique, un jeune Passeur pénétra dans une autre dimension où il erra dans les Brouillards Infernaux pour l'éternité. >

Topitos *(adjectif – par extension, nom)* :

a. authentique. *b.* de première qualité. *c.* considéré comme propre à l'Âge précédant le Nouvel Ordre. < Exemple d'usage : Les sorciers et autres dégénérés collectionnent les objets qu'ils considèrent comme topitos, autant de preuves accablantes lors des raids des officiers du Nouvel Ordre chez eux. >

Composition Nord Compo

Impression réalisée par CPI BRODARD ET TAUPIN
La Flèche
en décembre 2011

20.20.2702.7/01 – ISBN 978-2-01-202702-2
Dépôt légal : janvier 2012
N° d'impression : 66473

Loi n° 49-956 du 16 juillet 1949
sur les publications destinées à la jeunesse.